Rédaction : Suzanne Agnely et Jean Barraud,
assistés de J. Bonhomme, N. Chassériau et L. Aubert-Audigier.
Iconographie : A.-M. Moyse, assistée de N. Orlando.
Mise en pages : E. Riffe, d'après une maquette de H. Serres-Cousiné.
Correction : L. Petithory, B. Dauphin, P. Aristide.
Cartes : D. Horvath.

© *Librairie Larousse. Dépôt légal 1978-3ᵉ — Nᵒ de série Éditeur 12210.*
Imprimé en France par Jean Didier, Strasbourg (Printed in France).
Librairie Larousse (Canada) limitée, propriétaire pour le Canada
des droits d'auteur et des marques de commerce Larousse.
Distributeur exclusif pour le Canada : les Éditions françaises Inc.
licencié quant aux droits d'auteur et usager inscrit des marques pour le Canada.

Iconographie : tous droits réservés à A. D. A. G. P. et S. P. A. D. E. M.
pour les œuvres artistiques de leurs adhérents.
ISBN 2-03-252122-9.

l'Angola

le Botswana la Zambie

l'Afrique du Sud

le Lesotho le Swaziland

l'Afrique australe

le Zimbabwe le Malawi

le Mozambique la Réunion

l'île Maurice

les Seychelles les Comores

Madagascar

Librairie Larousse

17, rue du Montparnasse, 75006 Paris.

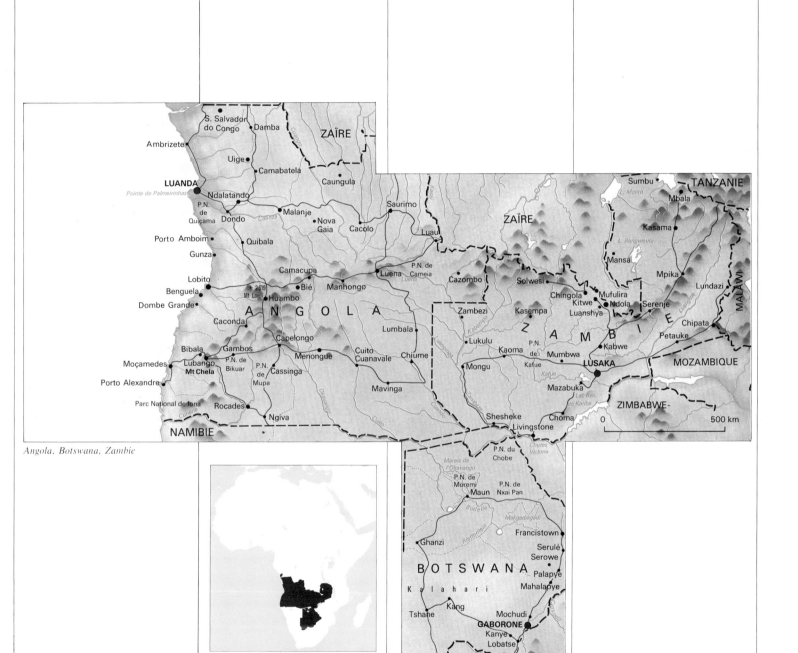

Angola, Botswana, Zambie

l'Angola

pages 1 à 10

rédigé par Philippe Jamain

le Botswana

pages 1 à 6

rédigé par Philippe Jamain

la Zambie

pages 1 à 4

rédigé par Philippe Jamain

ANGOLA

Ondangua

Parc National
Etosha Pan
Okaukuejo
Tsumeb
Grootfontein

Otjiwarongo

Mt Brandberg
+ 2 605
Mt Erongo
+ 2 350
Usakos
WINDHOEK
Mt Atas

Walvisbaai
Namib
Desert
Park
Rehoboth

Mariental

NAMIBIE

Lüderitz
Tses
Keetmanshoop

Aus

Grunau

Karasburg

Warmbad

Upington

Springbok

Prieska

OCÉAN

ATLANTIQUE

B. Ste-Hélène

Calvinia

Victoria
West
Van Rhynsdorp
Middelburg

Beaufort West

PROVINCE DU CAP

Paarl
Oudtshoorn
Uitenhage
Grahamstown
B. de la Table
Worcester
LE CAP
Strand
George
Cap de Bonne-Espérance
Mosselbaai
False B.

BOTSWANA

Désert
du
Kalahari

Gaborone

P.N. de
Kalahari
Gemsbok

Kuruman

Warrenton

Kimberley

RÉPUBLIQUE

D'AFRIQUE DU SUD

Messina

Pietersburg

TRANSVAAL

Warmbad

Rustenburg
PRETORIA
Witbank
Mafeking
JOHANNESBURG
Krugersdorp
Springs
Potchefstroom
Germiston
Klerksdorp
Vereeniging
Standerton
Kroonstad
Newcastle

ÉTAT LIBRE

D'ORANGE

Bethlehem
Harrismith

Bloemfontein

Maseru
LESOTHO

3 299
Thabantshonyana
3 482

Ladysmith

NATAL

Pietermaritzburg

Durban

Kokstad

De Aar

Stormberg

Queenstown

TRANSKEI

Umtata

King William's Town
East London

Port Elizabeth
B. Algoa

MOZAMBIQUE

Parc National Kruger

Mbabane
SWAZI-
LAND

Rés.
Umfolozi
Rés. Hluhluwe
L. Ste Lucie
Rés. Ste Lucie

Pt Shepstone

OCÉAN

INDIEN

0   500 km

Afrique du Sud, Namibie, Lesotho, Swaziland

l'Afrique du Sud

pages 1 à 19

le Lesotho

page 20

le Swaziland

page 20

rédigé par Claude Wauthier

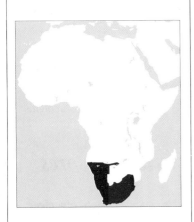

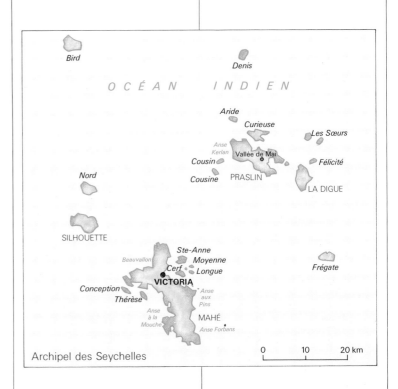

Bird

Denis

OCÉAN   INDIEN

Aride

Curieuse

Les Sœurs

Anse
Kerlan
Cousin
Vallée de Mai
Félicité

Nord

Cousine
PRASLIN
LA DIGUE

SILHOUETTE

Ste-Anne
Beauvallon
Moyenne
Cerf
Longue
Frégate

Conception
VICTORIA
Thérèse
Anse
aux
Pins

Anse
à la
Mouche
MAHÉ
Anse Forbans

Archipel des Seychelles

0   10   20 km

le Zimbabwe

pages 1 à 12

rédigé par Philippe Jamain

le Malawi

pages 1 à 4

rédigé par Philippe Jamain

le Mozambique

pages 1 à 4

rédigé par Philippe Jamain

Zimbabwe, Malawi, Mozambique

P.N. = Parc National

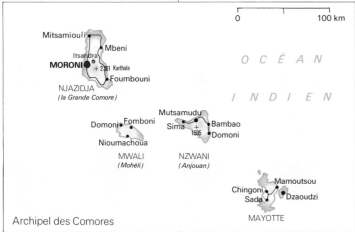

Archipel des Comores

Ile de la Réunion

Ile Maurice

la Réunion

pages 1 à 5

rédigé par Pierre Macaigne

l'île Maurice

pages 1 à 6

rédigé par Pierre Macaigne

les Seychelles

pages 1 à 6

rédigé par Pierre Macaigne

les Comores

pages 1 à 3

rédigé par Pierre Macaigne

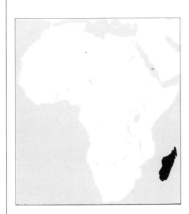

Madagascar

pages 1 à 20

rédigé par Pierre Macaigne

Archipel

2 361 +
I. Njazidja   *I. Nzwani*

I. Mwali

des   Comores

I. Mayotte

C. d'Ambre

Diégo-Suarez
(Antsiranè)

I. Nosy-Mitsie
1475 +
Montagne d'Ambre

I. Nossi-Bé
Hell-Ville   Ambilobe   Vohémar
I. Nosy - Komba   **Massif**
Ambanja   2 876   **du**
                          +
I. Nosy-Lava   Analalava   **Tsaratanana**   Sambava
B. de Narinda   Andapa
                    Antsohihy   Antalaha

B. de Bombetoka   Maroantsetra
              Majunga   Port Bergé
              Marovoay   Vaovao
C. St-André   C. Masoala
I. Chesterfield   Mananara
              L. Kinkony   *I. Ste-Marie*
Besalampy   Ambodifototra

Tambohorano   Fénérive
                                    Foulpointe
Maintirano   Ambatondrazaka   Tamatave
              Ankazobé
              Ilafy Moramanga
ANTANANARIVO   Andevoranto
              L. Itasy Mantasoa
              2 643 + Ambatolampy   Vatomandry
Belo   Betafo
              Antsirabé   Mahanoro
Morondava
              Ambositra   Nosy -Varika
                          Ambohimanga du Sud

Beroroha   Fianarantsoa   Mananjary   OCÉAN
Morombé   Ambalavao
              2 658 +   Manakara
              Ihosy
                    Farafangana   INDIEN
Tuléar   Vangaindrano
          Betroka

Ampanihy   1 956 +
Androka   Fort Dauphin
          Ambovombé
C. Ste-Marie

0   300 km

Madagascar

l'Angola

Vaste quadrilatère ouvert sur l'Atlantique, encadré par le Zaïre, la Zambie et le Sud-Ouest africain, l'Angola est un des géants du continent noir, et son territoire présente une grande variété de paysages, de faune et de populations : hautes terres du Cabinda, couvertes par la forêt vierge, symbole de l'Afrique impénétrable ; savanes du Sud, peuplées d'une infinité d'animaux ; hauts plateaux du Centre, descendant par paliers vers les zones tropicales du Nord et de l'Est, et vers la plaine côtière aride ou prédésertique du Sud-Ouest... De ces hauteurs ruisselle tout un éventail de fleuves, dont le plus grand, le Zambèze, sillonne l'Afrique méridionale sur des milliers de kilomètres.

Cette ancienne colonie portugaise résume tous les caractères de l'Afrique australe : un climat qui s'adoucit à mesure que l'on s'éloigne de l'équateur ; un relief bosselé ; une population

essentiellement formée de Bantous de diverses origines ; un passé profondément marqué par l'Europe, prélude à un présent instable, voire explosif, et à un avenir incertain.

De la découverte
à l'indépendance

Après la découverte des îles du Cap-Vert et de São Tomé, où avaient été créées d'importantes plantations de canne à sucre, les Portugais, poussés par le besoin de main-d'œuvre, recrutèrent des esclaves en grand nombre sur les côtes du Sénégal, du Ghana et du Bénin. Incité à pousser plus loin ses expéditions, le navigateur Diogo Cam parvint à l'embouchure

du Zaïre (le futur fleuve Congo) en 1482 et y éleva un *padrão*, colonne de pierre sculptée aux armes du Portugal, signifiant que son pays prenait possession du territoire. Ce fut le premier contact avec ce qui deviendrait plus tard l'Angola, du nom d'un puissant roi kongo, N'gola.

Pendant cinq ans, Diogo Cam explora la côte et planta d'autres *padrões*, afin d'annexer le plus de pays possible. Plus tard, des missionnaires arrivèrent de la métropole et entreprirent, parallèlement à la pacification, une christianisation plus ou moins librement consentie. On bâtit des places fortes pour assurer les positions face à la double résistance des Bantous et des Hollandais, ces derniers tentant de ravir aux Portugais la suprématie dans le trafic du « bois d'ébène ». Avec l'aide des *pombeiros* (marchands d'esclaves), la traite des

▲

Témoin de la longue présence portugaise, la forteresse São Pedro da Barra aligne ses batteries désormais inutiles face à l'Atlantique, à l'entrée du port de Luanda.
Phot. J.-C. Pinheira-Top

▶

Remarquablement adaptés à la sécheresse, les oryx aux longues cornes, ou gemsboks, se contentent de la maigre nourriture que leur offrent les steppes arides du parc national d'Iona.
Phot. J.-C. Pinheira-Top

Noirs fut pratiquée sur une grande échelle. Jusqu'au XIXᵉ siècle, l'Angola ne fut, en fait, qu'un immense réservoir de main-d'œuvre servile, les hommes et les armes importés d'Europe servant essentiellement à encadrer et à protéger les trafiquants chargés de ramener de nouveaux contingents de captifs. Le gouverneur portugais avait reçu l'ordre de fournir un minimum de 4 000 esclaves par an, et ce chiffre s'accrut au fil des années. São Salvador do Congo rappelle cette période avec les ruines de son ancienne cathédrale, édifiée au milieu du XVIᵉ siècle, et ses vestiges de couvents et de palais.

L'abolition de l'esclavage dans les colonies portugaises fut promulguée en 1830, mais elle ne mit pas fin au commerce des négriers : devenu clandestin, celui-ci ne disparut complètement que plusieurs décennies plus tard.

Parallèlement à ce sordide négoce, la véritable colonisation commença vers les années 1550, avec l'arrivée d'un convoi de femmes européennes, filles mères, prostituées et autres «femmes perdues». Des familles blanches furent fondées, auxquelles on attribua les meilleures terres.

Si l'exploitation de l'Angola était amorcée, les frontières du pays restaient très floues. Elles ne furent tracées officiellement que beaucoup plus tard, après la conférence de Berlin (1884-1885), au cours de laquelle les grandes puissances européennes se partagèrent l'Afrique. Pourtant, les autochtones, particulièrement combatifs, n'avaient jamais cessé de résister, et c'est seulement à partir de 1920 que la pacification de l'ensemble de la colonie peut être considérée comme réalisée.

Quelques années plus tard, en 1929, se fonda à Lisbonne une Ligue nationale africaine, groupant des originaires de Luanda : c'était le premier balbutiement d'une revendication encore mal définie. L'apparition, en 1953, du P.L.U.A. — Parti de la lutte unie des Africains de l'Angola — marqua la véritable naissance du nationalisme. L'abandon de sa politique coloniale par le Portugal, après le putsch de 1974, aboutit, le 15 janvier 1975, à la signature des accords d'Alvor entre le gouvernement portugais et les trois partis nationalistes : M.P.L.A., F.N.L.A. et U.N.I.T.A. L'indépendance fut le point de départ d'une guerre civile qui s'étendit à tout le territoire, provoquant l'intervention des grandes puissances mondiales.

C'est dans un pays divisé, ravagé par les combats, que fut proclamée, le 11 novembre 1976, après cinq siècles d'occupation portugaise, la République populaire d'Angola.

cesseurs des Kongos dont le royaume — l'un des plus puissants d'Afrique — fit l'admiration des Européens qui le découvrirent.

Organisé selon un système centralisé et hiérarchisé, ce royaume couvrait tout le bassin du bas Zaïre, du Loange au Cuanza, et avait pour capitale la ville que les Portugais baptisèrent São Salvador do Congo. C'est là que résidait le souverain, entouré d'une cour de fonctionnaires et de pages, ainsi que d'une multitude de femmes de tous âges. Son pouvoir était absolu, de lui émanait toute autorité. À sa mort, il était momifié, et la cérémonie des funérailles donnait lieu à des sacrifices humains.

Conquis par les Yakas au XVIᵉ siècle, le royaume fit ensuite partie de l'Empire lunda, qui s'étendit sur une bonne partie de l'Angola et de la Zambie actuelles et se maintint jusqu'au milieu du XIXᵉ siècle.

Les Tchokoués, installés dans le nord-est de l'Angola depuis la seconde moitié du siècle dernier, ont pris la place des Lundas. Chasseurs et forgerons à l'origine, ils sont maintenant essentiellement agriculteurs. Comme les anciens Kongos et tous les peuples bantous de l'Angola, ils ont une structure sociale matrilinéaire (descendance suivant la lignée maternelle), et ils ont hérité des Lundas l'institution de la chefferie à pouvoir centralisé.

Les Tchokoués sont un peuple d'artistes, et tous savent sculpter le bois. Travaillant à l'herminette (hachette à tranchant courbe) et au couteau, ils font des meubles, des pipes, des cannes ou des peignes qu'ils ornent de petits personnages et de motifs décoratifs. Les statuettes tchokoués sont taillées dans la masse avec beaucoup d'adresse, et elles ne sont considérées comme achevées que lorsqu'elles sont entièrement polies. Certaines, appelées *mahambas*, représentent les esprits protecteurs ; d'autres, plus réalistes, dites *tuponyas*, honorent des membres de la famille. Les objets sont souvent teints en brun, quelquefois en noir, puis exposés au soleil ou plongés dans un bain de boue pour faire pénétrer la couleur.

Les masques tchokoués, particulièrement réputés, ont une fonction importante dans la vie religieuse et sociale. Celui du chef est sacré :

▲ *Pour les cérémonies de l'initiation, les jeunes filles humbés apprêtent leur coiffure avec un soin particulier, à grand renfort de boue et de perles de verre.*
Phot. J.-C. Pinheira-Top

Cabinda
et le royaume du Kongo

Enclave enserrée par le Zaïre et le Congo, Cabinda, partie intégrante de l'Angola, résulte d'un découpage datant de l'époque coloniale. Ce petit territoire (7 250 km²) a pris une importance capitale depuis que l'on y a découvert des gisements de pétrole.

C'est le domaine de la grande forêt équatoriale, où se faufilent les panthères et où vivent les gorilles de plaine. Les branches des arbres gigantesques s'entremêlent pour former d'impénétrables voûtes de verdure. Dispersées dans cette immensité végétale, les collines du Mayombé sont peuplées de Yombés, les suc-

▶ *Les chutes Duque de Bragança, hautes de plus de 100 m, sont les plus spectaculaires de celles qui jalonnent le cours du Lucala et le rendent impropre à toute navigation.*
Phot. J.-C. Pinheira-Top

personne ne doit le voir, et il est enfermé dans une hutte spéciale. Les masques utilisés lors de l'initiation des jeunes gens pubères ne doivent être vus ni par les femmes ni par les enfants non circoncis. Quant aux masques de danse, ils peuvent être aperçus à distance par les femmes, lors des fêtes, mais ils sont portés exclusivement par des hommes.

Luanda
et les pêcheurs mussekes

Fondée en 1575 par le premier gouverneur, Paulo Dias de Novais, Luanda, capitale d'un demi-million d'habitants, séduit par son aspect de vieille cité coloniale, au style architectural adapté au climat tropical. Édifiée autour d'une magnifique lagune bordée de palmiers, en face d'un banc de sable blanc *(a Ilha)*, Luanda garde, plus que toute autre agglomération de l'Angola, l'empreinte de la colonisation portugaise. C'était, au XIXᵉ siècle, la plus belle ville de la côte occidentale de l'Afrique.

La forteresse São Miguel, le monument le plus important de Luanda, construite en 1638 sur une hauteur, domine toute la baie. Elle abrite aujourd'hui le musée de l'Angola.

Le littoral est frangé d'îles, telle Mussulo, petite bande de sable fin couverte de coquil-lages et plantée de cocotiers, lieu de vacances privilégié pour les habitants de la capitale, qui peuvent y pratiquer la pêche sportive d'espèces variées comme le poisson-lune et le pagre, ou tâcher d'apercevoir le célèbre lamantin, qui fit naître la légende des sirènes.

C'est le territoire des Mussekes, pêcheurs dont le folklore fut fortement influencé par les premiers Portugais : au cours de leur célèbre fête, la *rebita*, ils dansent l'*umbigada*, dont les figures très originales sont une adaptation locale de la polka.

Au sud de Luanda, le port de Benguela, qui fut édifié à partir de 1617, a étendu son influence aux régions voisines, et son rayonnement a donné naissance à de nouvelles agglomérations comme Caconda, Dombe Grande et Catumbela. Quelques bâtiments anciens s'y dressent encore et donnent un charme particulier à cette petite ville parée d'acacias rouges et bordée par la plage de Morena.

Encore plus au sud, le désert de Moçâmedes s'étend du littoral au fleuve Cunene. C'est une vaste plaine aride, dominée par les petites hauteurs des monts Chela, où pousse le rarissime welwitschia, curieuse plante du désert qui

▲
En dégageant de leur gangue friable les parties les plus dures de la roche, l'érosion a parsemé les hauts plateaux de pitons abrupts.
Phot. J.-C. Pinheira-Top

▶
Des palissades de pieux disposés en cercles concentriques protègent les cases rondes des villages du Sud-Ouest.
Phot. J.-C. Pinheira-Top

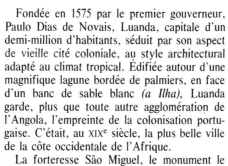

ressemble à un énorme champignon fendu en deux, s'abreuve uniquement de rosée et peut, dit-on, vivre plus de cent ans. Dans la partie continentale de ce désert se dresse la butte sacrée de Tchitundo Hulu, haut massif granitique de 3 km de long dans lequel les hommes préhistoriques ont gravé d'étranges figures que l'on suppose être des symboles solaires.

En bordure de cette région désolée, le parc national d'Iona est peuplé d'une faune particulière, dont certains représentants, comme l'oryx, sont propres aux zones désertiques.

La terre de fin du monde

Mis à part le désert de Moçâmedes, le sud-ouest de l'Angola est une région de savane au climat relativement doux, dont les habitants vivent en élevant des bovins et en cultivant, à la houe, un peu de mil (le millet africain), de maïs et de sorgho. Ces graminées leur fournissent la base de leur alimentation, le *massango*, épaisse bouillie accompagnée de lait caillé ou de poisson que l'on confectionne en

écrasant des grains dans de grands mortiers de bois. Ce travail incombe aux femmes, qui y passent le plus clair de leur temps. Le battement sourd et régulier de leurs lourds pilons fait régner une ambiance sonore qui caractérise beaucoup de villages africains.

Le bétail est enfermé dans un enclos de buissons épineux, le *kraal*, situé à proximité du rem-

▲
La teinture du corps en rouge à l'aide d'un colorant végétal est encore pratiquée par de nombreuses tribus à l'occasion de certaines cérémonies, notamment celle de la puberté.
Phot. Jamain-Atlas-Photo

▲
Les solitudes quasi désertiques du parc national d'Iona servent de refuge à quelques dromadaires qui ont choisi la liberté et retrouvé la vie indépendante que leurs lointains ancêtres menaient jadis en Arabie.
Phot. J.-C. Pinheira-Top

part de rondins qui entoure les cases coniques. Le troupeau constitue le patrimoine familial et sert de monnaie d'échange pour un éventuel dédommagement ou l'acquisition d'une épouse. Les bœufs ne sont abattus qu'à l'occasion d'une fête ou à la mort de leur propriétaire, par un «tueur» venu tout exprès. Celui-ci opère avec une sagaie, un peu à la manière du toréador. L'animal est immédiatement dépecé et découpé en morceaux, qui sont grillés sur la braise ou cuits dans une sauce qui accompagnera le *massango*.

La grande particularité des populations du Sud-Ouest réside dans les extraordinaires coiffures des femmes. Chaque ethnie — et, à l'intérieur de l'ethnie, chaque classe d'âge — possède la sienne. Selon qu'une jeune fille est pubère ou non, par exemple, ses cheveux sont disposés différemment. Il existe plus de cinquante variétés de ces chefs-d'œuvre capillaires, consolidés avec de la boue séchée ou du fil de cuivre et décorés d'une multitude d'ornements tels que perles, coquillages et rondelles de roseau.

Habiles coiffeuses, les femmes du Sud-Ouest sont également d'adroites potières. Cette activité est leur apanage, et elles y sont initiées par une cérémonie rituelle, destinée à les faire travailler en union étroite avec une proche parente défunte qui exerçait le même métier pendant sa vie. Les poteries sont décorées avec beaucoup de goût, souvent de dessins géométriques.

Vers l'est, la savane devient une steppe sèche, caractéristique des zones semi-désertiques. Région peu accessible, que l'absence de pluies rend à peu près invivable. Les Portugais l'appelaient «la terre de fin du monde» parce que, au-delà, il n'y avait plus que le désert : le Kalahari. Quelques groupes de Bochimans y végètent misérablement, nomadisant d'un point d'eau à l'autre. S'ils ont survécu aux invasions des Blancs et des Bantous, c'est probablement parce qu'ils s'étaient réfugiés là où personne n'a osé les suivre ■ Philippe JAMAIN

Hommes et femmes pêchent activement dans le Cubango, qui sépare l'Angola du Sud-Ouest africain : les premiers se servent de filets, les secondes utilisent de grandes nasses coniques.
Phot. J.-C. Pinheira-Top
▼

▲
Dans le Sud, on rencontre encore parfois des femmes hereros en tenue traditionnelle, mais celle-ci devient de plus en plus rare.
Phot. Fraenkel-A. Hutchison Lby

▶
Au-dessus de la plaine littorale, le relief angolais s'élève très rapidement, et l'escarpement de Chela, près de Sá da Bandeira, culmine à plus de 2 600 m.
Phot. J.-C. Pinheira-Top

le Botswana

Bien que le désert du Kalahari couvre les trois quarts de son territoire, le Botswana n'est pas dénué d'attraits. Sur le plan économique, une sécheresse chronique et un peuplement très faible lui causent de sérieuses difficultés, mais la variété de ses paysages (marais au nord, savane et steppe au centre, désert de sable au sud-ouest), la richesse de sa faune et l'originalité de son folklore en font une des régions les plus fascinantes du continent africain.

Les différents types de végétation favorisent le développement d'une vie animale multiforme. Au centre et à l'est, les *pans* — vastes cuvettes à fond plat, éblouissantes de blancheur — exercent une grande attirance sur les herbivores à cause des plaques de sel dont ils sont couverts. Oryx, springboks et koudous s'y regroupent en nombre, accompagnés de leurs inévitables prédateurs : lions, hyènes et lycaons.

La « poche saharienne », qui occupe la partie sud-ouest du Kalahari, apparaît comme un désert dans le désert et annonce le proche et redoutable Namib. Elle offre l'étonnante vision d'une mer de sable rouge, dont les vagues déferlent à perte de vue. L'impression de vide absolu est d'ailleurs trompeuse, car cette désolation recèle des troupeaux de gemsboks, une variété d'oryx parfaitement adaptée au désert. Ces antilopes sont capables de parcourir de longues distances sans boire et se déplacent sans cesse à la recherche d'une maigre nourriture, qui peut être aussi bien une touffe d'herbes rabougries que des melons sauvages qu'elles savent extraire du sable. (Ces animaux peuvent être chassés dans la réserve Gemsbok, qui longe le parc namibien du même nom.)

Contrastant totalement avec le Sud, le Nord est une région verdoyante, dont une grande

partie est occupée par le delta de l'Okavango. Ce fleuve, venu d'Angola, a la particularité de ne pas se jeter dans la mer : après s'être divisé en une multitude de bras, il se perd dans les sables du Kalahari, inondant, pendant la saison humide, une surface de 20 000 km². Dès l'apparition des premières pluies, le paysage se transforme avec une surprenante rapidité. L'Okavango, jusque-là presque à sec, voit son lit grossir de jour en jour, puis déborder. Les rideaux de papyrus géants qui bordent les cours d'eau se font un peu plus denses, les arbres verdissent et les roselières deviennent impénétrables. Des bandes bruyantes de singes gris peuplent les rives des chenaux creusés par les hippopotames, que l'on retrouve à demi immergés dans les lacs et les lagunes ; habituellement inoffensifs, ces animaux peuvent devenir dangereux lorsqu'ils sont blessés, car leur masse

▲
Le Cubango angolais prend le nom d'« Okavango » en pénétrant au Botswana, où il se scinde en une multitude de bras, formant un immense marécage.
Phot. J. Bottin

Histoire
Quelques repères

1817 : installation d'une mission protestante, dirigée par Robert Moffat.
1834-1839 : le «Grand Trek»; les Boers, fuyant les Britanniques, remontent vers le nord en refoulant les Bantous devant eux.
1846 : Livingstone découvre le lac Ngami.
1885 : proclamation du protectorat britannique du Bechuanaland.
1960 : nouvelle Constitution; les Africains majoritaires dans les organismes gouvernementaux.
1966 : indépendance du Bechuanaland, qui devient l'État souverain du Botswana, présidé par Seretse Khama.

leur permet de renverser des embarcations de plusieurs tonnes. Les crocodiles, massacrés par dizaines de milliers pour leur peau, sont devenus rares, mais on peut encore en apercevoir quelques-uns, se chauffant au soleil sur les petites plages de sable blanc nichées dans les méandres des rivières. Les bras d'eau enserrent une infinité d'îles, allant du bouquet d'arbres aux vastes bandes de terre sur lesquelles vivent les petits waterbucks, ou antilopes des marais, qui nagent en ne laissant dépasser de l'eau que leurs cornes et le bout de leur museau.

À l'ouest, la Kung Forest longe le delta sur toute sa longueur. D'une immense plaine émergent les monts Tsodillo et Aha, dont les parois

▲
La coiffure de cette femme herero et l'architecture de sa case sont typiques, mais le tissu de sa blouse et la décoration des murs sont tout à fait originaux.
Phot. Nebbia-Contact

rocheuses et les grottes portent le plus ancien héritage artistique de l'Afrique australe : les gravures et peintures rupestres des Bochimans, petits hommes du désert dont l'origine reste mystérieuse et qui sont peut-être les plus anciens habitants de l'Afrique. Le dernier chapitre de leur histoire est étroitement lié à l'arrivée des Blancs en Afrique du Sud.

Les survivants
de l'âge de la pierre

La colonisation du Botswana débuta avec l'installation, en 1817, d'une importante mission protestante, dirigée par Robert Moffat. C'était l'époque de l'esclavagisme, et les missionnaires s'employèrent à le combattre, sous l'impulsion de David Livingstone, qui prit la mission en charge à la suite de Moffat, dont il avait épousé la fille. Les côtes de l'Afrique étaient déjà épuisées en hommes, et les incursions des marchands d'esclaves pénétraient de plus en plus profondément dans l'intérieur des terres. Il est certain que, sur les 15 millions d'hommes et de femmes emmenés d'Afrique entre le XVᵉ et le XIXᵉ siècle, le Sud a payé un lourd tribut.

En janvier 1885, Cecil Rhodes, Premier ministre du Cap, inquiet de la pression que les Boers du Transvaal et les Allemands du Sud-Ouest africain exerçaient sur le Botswana, obtint de son gouvernement que le pays soit placé sous protectorat britannique. On le baptisa « Bechuanaland », et on lui donna une ville de la colonie du Cap, Mafeking, comme capitale administrative, mais les diverses tentatives pour l'intégrer à l'Union sud-africaine se heurtèrent à une farouche opposition des chefs autochtones, de même que les revendications de la Rhodésie, qui prétendait l'annexer.

En 1949, le gouvernement de Clement Attlee destitua l'héritier de la principale dynastie tribale, Seretse Khama, sous prétexte que celui-ci avait épousé une dactylo londonienne. Exilé, Khama n'en fut pas moins l'artisan de l'indépendance, proclamée le 30 septembre 1966 au terme de cinq années de négociations, et il est, depuis, président de la République.

Le Bechuanaland, devenu l'État souverain du Botswana, prit pour capitale Gaborone,

petite ville située près de la frontière sud-africaine, sur la voie ferrée reliant le Zimbabwe-Rhodésie à l'Afrique du Sud.

Bien que faisant partie de l'Organisation de l'unité africaine, le Botswana, sans grandes richesses naturelles et sans ouverture sur la mer, reste économiquement dépendant de son puissant voisin sud-africain. L'élevage, principale ressource, est pratiqué par l'ethnie dominante, les Tswanas, dans les régions les plus favorisées. Le désert n'est habité que par les Bochimans, dont l'adaptation à un milieu réputé invivable demeure une énigme.

Les Bochimans constituent un groupe anthropologique totalement à part. On s'est même demandé s'ils ne seraient pas issus d'une souche autre que l'*Homo sapiens* et s'ils n'auraient pas une ascendance différente de celle du reste de l'humanité. De petite taille sans être nains comme les Pygmées, ils présentent de nombreux caractères infantiles : absence de barbe, attaches fines, traits délicats. Leur couleur jaunâtre leur a fait attribuer une origine asiatique, mais cette hypothèse est aujourd'hui abandonnée, car on n'a jamais retrouvé la moindre trace d'une telle migration.

Les caractéristiques physiques des Bochimans sont à la fois africaines et mongoloïdes : cheveux crépus en «grains de poivre», pommettes saillantes, yeux bridés. La stéatopygie (accumulation de tissus graisseux dans la région fessière) semble se perpétuer depuis la préhistoire. Elle est sans doute, à l'instar de la bosse du chameau, une réserve pour les périodes de carences.

Il semble établi que, depuis l'âge de la pierre taillée jusque vers le XVᵉ siècle de notre ère, les Bochimans furent les seuls occupants de l'Afrique au sud du Zambèze. De très nombreuses peintures rupestres, dont certaines vieilles de plusieurs millénaires, prouvent leur ancienneté dans ces régions. On retrouve ces fresques dans toutes les zones montagneuses, sur le pourtour d'un triangle ayant Le Cap pour sommet. Elles couvrent les parois rocheuses et l'intérieur des grottes qu'ils habitaient, le plus souvent dans un lieu élevé, permettant de surveiller l'approche des ennemis éventuels et du gibier.

Les scènes de chasse, les animaux, les rites y sont largement représentés. Les peintres bochimans semblaient avoir atteint la pleine

maîtrise de leur art. Les proportions, les formes et les attitudes dénotent un grand talent. Les peintures polychromes apparaissent à une époque plus récente et recouvrent, parfois sur plusieurs couches, des fresques monochromes plus anciennes. Les couleurs étaient évidemment des produits naturels : kaolin pour le blanc ; hématite pour le rouge ; noir de fumée ou charbon de bois pour le noir. Les artistes transportaient leurs couleurs, lors des migrations, dans de petites cornes d'antilope attachées à la ceinture. Ils saisissaient probablement les scènes sur le vif, en faisant une esquisse sur une pierre plate, puis les reproduisaient avec soin à l'endroit choisi.

En 1652, des pionniers, commandés par le Hollandais Jan Van Riebeek, débarquèrent au cap de Bonne-Espérance, décidés à fonder une nouvelle colonie sur ce continent inconnu et riche de promesses. Ils apportaient avec eux un certain nombre d'animaux domestiques et de quoi travailler la terre. Au début, l'espace semblait infini, et l'empiétement des Blancs sur les terrains de chasse des Bochimans, insignifiant. Mais, tout au long du XVIIe siècle, les navires hollandais amenèrent de nouveaux immi-

grants, et la colonie du Cap se peupla d'autant plus vite que les familles étaient nombreuses chez ces protestants vibrants de foi, qui s'enfonçaient dans la brousse « la Bible dans une main et le fusil dans l'autre ». Alors s'amorça une lente poussée vers le nord, seule direction possible pour la recherche de nouvelles terres, menaçant de plus en plus sérieusement la survie des petits chasseurs jaunes.

Cette histoire ressemble étonnamment à celle des Indiens d'Amérique : même guerre, même extermination des populations autochtones pour les mêmes raisons, les terres exploitables des uns étant les terrains de chasse des autres. Les Bochimans virent leur gibier fuir l'avance des Blancs, qui défrichaient, installaient leur bétail et décimaient les troupeaux d'antilopes avec leurs armes à feu. La chasse était le seul moyen d'existence des Bochimans ; pour subsister, ils n'avaient plus qu'une solution : abattre ces animaux inconnus et passifs que les Blancs avaient amenés et qu'ils prenaient pour du gibier. Les représailles furent immédiates et sanglantes. Des clans entiers furent anéantis, les fuyards, traqués, et les survivants, réduits en esclavage.

Dans un premier temps, les monts du Drakensberg, au Lesotho, apparurent comme un refuge, car les falaises et les gorges les rendaient difficilement accessibles. Mais de nouveaux adversaires occupaient déjà les lieux : les Bantous, qui s'y étaient fixés au terme d'une longue migration. Mieux organisés, mieux armés, plus nombreux, ces derniers eurent vite le dessus, et les Bochimans durent fuir de nouveau. Beaucoup y laissèrent leur vie, et un pitoyable exode, au cours duquel il fallut abandonner les vieux et les plus faibles, les mena jusqu'aux seules régions d'où personne ne les a chassés, parce que ni les Blancs ni les Noirs ne sauraient y élever du bétail ou cultiver la terre : le désert du Kalahari.

Les Tswanas et les Hottentots

Si, dans le centre du Botswana, les Bochimans nomadisent dans les zones les plus déshéritées, dans le Nord et le Sud-Est, ils sont fixés chez les Bantous, en tant que serviteurs attachés à une famille, et sont appelés « Sarwas ».

◄
Les Bochimans ont la peau relativement claire et des cheveux tellement crépus qu'ils s'enroulent en « grain de poivre » au ras du cuir chevelu.
Phot. Jamain-Atlas-Photo

▲
Désertique, très peu peuplé, le Botswana tire l'essentiel de ses maigres ressources de l'élevage du bétail que peuvent nourrir les quelques épineux disséminés sur le sable rouge.
Phot. Nebbia-Contact

Menant une vie errante à la poursuite du gibier, les Bochimans construisent des abris extrêmement rudimentaires, qui sont à peine plus que des écrans contre le vent.
Phot. J. Bottin

Les Bantous appartiennent presque tous au groupe des Tswanas, qui ont donné leur nom au pays (*bo* signifie « territoire »). Ils sont groupés en villages de cases et vivent essentiellement de l'élevage des bovins.

La diversité des origines explique la hiérarchie interne du groupe. Les membres de la descendance paternelle du chef fondateur forment une sorte d'aristocratie, supérieure aux membres de la lignée maternelle. Au bas de l'échelle sociale se trouvent les immigrés. Chaque groupe souverain est autonome, possède son territoire et son chef. C'est de la parenté avec ce dernier que dépend la qualité de membre de la cellule, et il peut arriver à un étranger d'être rejeté d'une manière qui paraît arbitraire, mais qui correspond, en fait, à un souci de protection du groupe.

Les Hottentots constituent une communauté à part. Considérés comme les « cousins » des Bochimans, ils présentent avec eux certaines analogies physiques, comme la couleur de la peau et la forme des yeux. Les dialectes des deux populations comportant l'un et l'autre des « clics » (bruits de langue ou de bouche qui jouent le rôle de syllabes), on a supposé que les Hottentots proviendraient d'un métissage entre les Bochimans et les Nilotiques venus du nord.

Le mode de vie des Hottentots est, par contre, totalement différent. Pasteurs depuis des temps très anciens, il semble qu'ils se soient sédentarisés à une époque reculée. Contrairement aux Bochimans, ils résident dans des zones habitées par d'autres ethnies et ne connaissent pas la division en clans.

Les Hottentots sont polygames. Les femmes vivent dans la famille paternelle du mari, où elles ont d'ailleurs une situation privilégiée par rapport aux autres ethnies : elles règlent l'organisation de l'habitation et disposent comme elles l'entendent du lait, important élément de l'alimentation ■   Philippe JAMAIN

▶
Ce jeune Bochiman, qui boit dans une coquille d'œuf d'autruche, a la chute de reins très cambrée qui caractérise sa race.
Phot. J. Bottin

▶▶
Les Bochimans ont couvert les parois rocheuses de peintures, dont certaines, vieilles de plusieurs milliers d'années, attestent l'ancienneté de leur présence au Botswana.
Phot. J. Bottin

la Zambie

Située au cœur de l'Afrique orientale, la Zambie, ancienne Rhodésie du Nord, se présente comme un immense plateau granitique, dont l'altitude est comprise entre 900 et 2 000 m et que sillonnent deux grandes failles : les vallées du Zambèze et de la Kafue. Gros producteur de cuivre, le pays possède aussi de sérieux atouts touristiques avec 18 parcs nationaux, où prolifère une incroyable variété d'animaux, et surtout la curiosité naturelle «numéro un» de l'Afrique (partagée avec le Zimbabwe-Rhodésie) : les millions de litres d'eau qui se déversent à chaque seconde aux chutes Victoria, où le Zambèze s'effondre de plus de 100 m de haut sur près de 2 km de largeur, dans un fracas de cataclysme.

Les Anglais, installés en Afrique australe depuis le XVIIIe siècle, avaient des visées sur ce territoire encore vierge. En 1889, Cecil Rhodes obtint de son gouvernement une charte, la British South Africa Chartered Company, lui confiant l'exploitation de la Zambie. Un an plus tard, il signa un accord avec Lewanika, roi des Lozis installés sur le cours du haut Zambèze, dans l'ouest de l'actuelle Zambie. Lewanika était le fils de Sébitouané, un chef sotho qui avait fui les armées du chef zoulou Chaka en empruntant, sur les conseils des missionnaires, la voie du lac Ngami. À cette époque, le nord-est de la Zambie était parcouru par les négriers arabes, alliés aux Bembas. Pendant plusieurs années, ceux-ci s'opposèrent à la progression des Anglais en Zambie, tout comme les Ngonis, descendants de Zoulous émigrés, qui se révoltèrent en 1898, mais furent écrasés par les Européens, dont l'armement était supérieur.

La compagnie britannique ayant finalement réussi à traiter avec la plupart des chefs indi-gènes, une certaine unité politique se fit jour. En 1924, le territoire prit le nom de «Rhodésie du Nord» et devint un protectorat de la Couronne. Après l'échec de la Fédération de Rhodésie et du Nyassaland, en 1963, Kenneth Kaunda, disciple de Gandhi, apparut sur la scène politique. En 1964, son parti recueillit la majorité des suffrages, et l'indépendance fut proclamée le 24 octobre de la même année.

Les Bembas, les Lozis et les Tsongas

La Zambie occidentale est le domaine de la forêt-clairière, habitée par les Ndembus, peuple d'agriculteurs vivant dans de petits villages

▲
Important centre de pêche, le lac Bangweulu a des rives incertaines et une surface variable : elle peut presque quadrupler en période de pluie.
Phot. Fraenkel-A. Hutchison Lby

ronds, coupés en deux par une rue qui sépare les jeunes des vieux. Ces agglomérations sont instables : tous les cinq ans environ, elles se déplacent sur des distances qui peuvent dépasser 100 km.

La partie orientale est entaillée par le fossé de la Luangwa, qui prolonge la Rift Valley. Le climat y est plus chaud que dans le reste du pays en raison de l'altitude inférieure. C'est une sorte de paradis pour les éléphants et les hippopotames, qui peuplent en grand nombre le parc national de la Luangwa.

À l'ouest de la rivière Luangwa, le plateau de Serenje déroule un paysage assez uniforme, coupé de vallons dont les fonds plats forment des *dambos* marécageux. Le lac Bangweulu, au nord-ouest, est bordé d'un vaste marais qui, en saison des pluies, recouvre une partie de la plaine. C'est le territoire des Bisas, qui forment, avec les Bembas et les Lambas, un groupe homogène par bien des aspects, tels le mode de vie et l'organisation sociale.

Les Bembas, venus du Zaïre au XIXe siècle, ont dominé une vaste zone allant du Zaïre au lac Tanganyika. Leur empire a décliné avec l'arrivée des Européens et la suppression du trafic des esclaves, à la fin du siècle dernier. De cette monarchie, il subsiste une organisation interne centralisée, l'unité politique de base étant constituée par le village. Celui-ci abrite toute la famille, qui suit la lignée maternelle.

Le système sociopolitique des Bembas est fondé sur des dogmes : pour eux, le sang passe par la femme et non par l'homme, et tout individu a ses propres esprits de tutelle, qui sont ses ancêtres. Lorsqu'une femme est enceinte, l'esprit d'un ancêtre s'installe dans son ventre et devient le gardien de l'enfant.

Les Bembas ont réussi à conserver leurs traditions, bien qu'ils soient soumis, comme tous les Africains, à un brassage de cultures le plus souvent irréversible. Leurs fétiches sont des sculptures sur bois très élaborées, dont le visage porte les tatouages faciaux propres à l'ethnie et dont la tête est couronnée par une touffe de cheveux qui sert de réceptacle aux ingrédients magiques.

Les Lozis, qui habitent le sud-ouest de la Zambie, sont les héritiers du royaume de Lewanika, le chef avec lequel les Blancs négocièrent à l'époque de la colonisation. Réputé pour son intelligence et sa force de caractère, il n'avait pas hésité à supprimer les rivaux qui, sous prétexte qu'ils descendaient du premier ancêtre Mbuu, revendiquaient un droit à la royauté. À la tête d'une puissante armée, Lewanika infligea de nombreuses défaites à ses ennemis, les Ilas, les Tonkas et les Tsongas, et se retrouva en possession d'un énorme butin d'esclaves et de troupeaux. Mais il comprit que ses armées ne pouvaient rien contre celles des Blancs, et il traita habilement avec eux, préservant sa position de souverain et l'autonomie des Lozis, conservée jusqu'à l'indépendance.

Éleveurs avant tout, les Lozis pratiquent également la chasse, la pêche et la cueillette. Les inondations saisonnières les obligent à avoir deux habitations : la première sur une éminence qui se transforme en île au moment des pluies, la seconde plus bas, sur les terrains fertiles qu'ils rejoignent à la saison sèche.

Les Tsongas, qui faisaient jadis partie de l'empire légendaire du Monomotapa, vivent maintenant de la pêche dans la région de Sinazongwe, sur le Zambèze. Déplacés au moment de la construction du barrage de Kariba, dont le lac de retenue a submergé toute la vallée, ils ont réussi à préserver l'originalité de leur mode de vie, en dépit des tentatives faites pour les transformer en agriculteurs.

Chez les Tsongas, les enterrements durent généralement plusieurs jours. Sur la place du village, les femmes, les vieillards et les enfants tournent en rond au son d'un tambour et d'une corne d'antilope faisant office de cor, en chantant inlassablement le même air lancinant. Des pleureuses poussent des gémissements, tandis que les hommes, armés de lances et de boucliers en fer-blanc, dansent pour apaiser les esprits malveillants ■   Philippe JAMAIN

◄

Les masques de certaines tribus bantoues sont faits de fibre d'écorce peinte, appliquée sur une armature de rotin.
Phot. C. Lénars

▲

Pour les cérémonies d'initiation, qui marquent le passage de l'adolescence à l'âge adulte, les masques s'accompagnent de costumes recouvrant complètement le corps des danseurs.
Phot. C. Lénars

▶

Ancienne Rhodésie du Nord, la Zambie partage avec le Zimbabwe-Rhodésie les célèbres chutes Victoria, où le Zambèze, étalé sur près de 2 km, plonge de plus de 100 m de haut dans une gorge de 75 m de large.
Phot. Boutin-A. A. A. Photo

l'Afrique du Sud

Or, diamants, grands fauves, débauche de fleurs rares, plages étincelantes, forêts tropicales, déserts torrides... Sa prodigieuse richesse minérale, la variété de sa flore et de sa faune, la beauté de ses paysages font de l'Afrique du Sud un pays aussi convoité qu'attirant. De la redoutable Côte des Squelettes, le long du désert du Namib (Sud-Ouest africain), aux mille essences de la *Garden Route* (« Route-Jardin »), entre Le Cap et le Transkei, de la célèbre réserve d'animaux du parc Kruger aux sommets neigeux du Drakensberg, des terrils géométriques des mines d'or, autour de Johannesburg, au « Grand Trou » à diamants de Kimberley, l'intérêt du voyageur est constamment sollicité.

C'est que la diversité de ces paysages se répartit sur plus de 2 millions de km², près de quatre fois la France, si l'on ajoute à la

▲
Vu de la montagne de la Table, Sea Point, quartier résidentiel du Cap, étagé en amphithéâtre au pied du piton de la Tête du Lion.
Phot. Boutin-A.A.A. Photo

superficie de l'Afrique du Sud (1 221 000 km²) celle du Sud-Ouest africain (822 876 km²). C'est aussi que des climats différents s'y étagent entre le Cap, méditerranéen avec ses vignes et ses orangers, le Natal tropical et ses plantations de canne à sucre, les déserts du Kalahari et du Namib, les hauts plateaux secs sous le ciel clair de l'Orange et du Transvaal.

Le relief de l'Afrique du Sud est dominé par le massif du Drakensberg, dont les sommets dépassent 3 000 m. C'est le château d'eau du pays ; l'Orange, le grand fleuve sud-africain, y prend sa source.

Au-delà de la plaine littorale, un arc de cercle de montagnes, le « Grand Escarpement », prolonge le Drakensberg vers l'ouest et forme le rebord des hauts plateaux de l'intérieur. Ceux-ci s'abaissent vers le nord-ouest, jusqu'à la cuvette du désert du Kalahari.

◄
La presqu'île du Cap est constellée de fleurs, dont certaines lui sont propres : le gracieux protea kreupelhout (Leucospermum conocarpum) résiste fort bien, malgré son aspect délicat, au vent et à la sécheresse.
Phot. M. Pell

Dans cet immense pays cohabitent des hommes de races très différentes. Les plus nombreux, les Noirs, ou Bantous, appartiennent à une dizaine d'ethnies étroitement apparentées (Xhosas — ou Cafres —, Zoulous, Sothos, Tswanas, Pedis, Vendas, Shangaans, Ndébélés, Swazis). Par ordre d'importance numérique viennent ensuite les Blancs, descendants des premiers colons hollandais et britanniques. Le mélange des uns et des autres a produit une importante communauté de métis (*Coloureds*), tandis que le besoin de main-d'œuvre a provoqué, au siècle dernier, l'arrivée de travailleurs agricoles indiens, qui ont fait souche. La loi distingue chacun de ces groupes raciaux, lui assigne une place déterminée dans la société : c'est le régime de l'*apartheid*.

Une histoire en noir et blanc

L'histoire de l'Afrique du Sud s'ouvre sur une controverse : lequel est arrivé le premier en Afrique australe, le Blanc ou le Noir, le Hollandais ou le Bantou ? Pour les uns, les tribus africaines qui peuplent aujourd'hui l'Afrique du Sud, venues de la région des grands lacs de l'Afrique orientale, ne sont parvenues au terme de leur migration qu'après les premiers colonisateurs ; pour les autres, c'est l'inverse.

Le cap de Bonne-Espérance a été découvert par un navigateur portugais, Bartolomeu Dias, en 1487. Lorsque le Hollandais Jan Van Riebeeck y débarque, en 1652, pour fonder un comptoir qui servira d'escale aux navires de la Compagnie néerlandaise des Indes orientales, le pays est occupé par des Hottentots, peuple de pasteurs aujourd'hui disparu. Dans l'intérieur des terres, les premiers colons hollandais rencontrent une autre ethnie, les Bochimans, chasseurs nomades : il en reste quelques dizaines de milliers dans les déserts du Sud-Ouest africain et du Botswana. Hottentots et Bochimans n'appartiennent pas à la race noire, dite « bantoue », qui peuple l'Afrique centrale et australe : ils parlent des langues « à clics » (claquements de langue), et leurs femmes sont stéatopyges (développement graisseux de la région fessière). Les anthropologues les ont rangés dans un groupe à part, celui des Khoisans. Les Hottentots, dont les derniers descendants, plus ou moins métissés, sont les Namas du Sud-Ouest africain, ont la peau noire et sont de taille normale. Les Bochimans sont nettement plus petits que la moyenne, et leur teint est cuivré.

Les colons hollandais, attirés par le climat méditerranéen du Cap, se consacrent principalement à l'agriculture, d'où leur nom de Boers (« paysans »). En 1688, un groupe de huguenots français, qui s'étaient réfugiés aux Pays-Bas après la révocation de l'édit de Nantes, vient grossir leur nombre. Ils s'intègrent d'autant plus rapidement à la communauté hollandaise qu'on leur interdit l'usage de leur langue maternelle, et leurs nombreux descendants ne sont plus reconnaissables qu'à leur patronyme plus ou moins déformé : Labuschagne, de Villiers, Marais ou Maree, Pinard ou Pienaar, etc. C'est grâce à ces protestants français, qui ont introduit la culture de la vigne, que l'Afrique du Sud produit aujourd'hui d'excellents vins.

Au début de la colonisation, le métissage est largement toléré : le médecin-barbier de Van Riebeeck, Van Meerhof, épouse même une princesse hottentote, baptisée Eva. Les besoins de main-d'œuvre entraînent par ailleurs l'importation d'esclaves noirs et de malais. Du mélange des races, auquel contribuent largement les matelots en bordée, naît, au fil des années, un groupe racial distinct, celui des métis, les *Coloureds*.

Tandis que les Hottentots survivent difficilement à la colonisation — ils sont notamment décimés par deux épidémies de petite vérole au XVIIIᵉ siècle — et que les Bochimans, voleurs de bétail, disparaissent, victimes de véritables chasses à l'homme, l'expansion vers l'est des colons se heurte, dès 1739, à la tribu africaine des Xhosas, ou Cafres (de 1779 à 1877, ils se soulèveront une dizaine de fois contre les Hollandais, puis contre les Anglais, avant d'être soumis).

Les guerres de Napoléon vont bientôt bouleverser les données de la situation : le Cap commande la route des Indes, et les Anglais s'en emparent. L'annexion est consacrée en droit en 1814. En 1820 arrive un important contingent de colons britanniques, et, en 1834, Londres abolit l'esclavage dans ses colonies. Les Boers accueillent fort mal cette mesure, et nombre d'entre eux décident de quitter la province du Cap à la recherche de nouvelles terres : c'est le grand voyage — le Grand Trek — vers l'intérieur.

Avec leurs troupeaux et leurs chariots à bœufs, les Voortrekkers, comme on les appelle, se dirigent d'abord vers le Natal, où ils vont se heurter aux Zoulous. Le royaume zoulou a été fondé au début du siècle par un chef noir, Chaka, guerrier de génie, dont les prouesses — puis les cruautés, lorsqu'il sombra dans la folie — sont restées légendaires. Il est mort en 1828,

assassiné par son demi-frère, Dingaan, qui a succédé. En 1838, Dingaan attire le chef des Voortrekkers, Piet Retief, et une centaine de ses hommes dans son *kraal*, où ils sont massacrés. Les Voortrekkers, commandés par Andries Pretorius, prennent leur revanche la même année, en infligeant une sanglante défaite aux Zoulous à la bataille de Blood River (« Rivière de Sang »).

Pourtant, l'installation des Hollandais au Natal ne dure pas : en 1843, les Anglais annexent le territoire, et les Voortrekkers reprennent leur exode à la recherche de la terre promise. Ils la trouvent au-delà de l'Orange et du Vaal, où ils fondent les deux républiques de l'État libre d'Orange et du Transvaal. Pendant ce temps, la Grande-Bretagne poursuit l'occupation du Natal, où des *coolies* indiens sont importés, à

▲
À Oudtshoorn, les autruches sont élevées comme des volailles pour leurs précieuses plumes, leur peau, leurs œufs et, depuis peu, leur viande.
Phot. S. Held

partir de 1860, pour cultiver la canne à sucre. En 1879, les Zoulous déclenchent une insurrection (qui coûte la vie au prince Napoléon, fils de Napoléon III) et taillent en pièces une colonne britannique à Isandhlwana avant d'être battus à leur tour (une dernière rébellion zouloue sera écrasée en 1906).

Cependant, la découverte de gisements de diamants, puis de filons aurifères, au nord de l'Orange va rapidement envenimer les relations entre les républiques boers et l'Angleterre. Londres annexe la région diamantifère de Kimberley, mais échoue dans ses tentatives pour s'emparer du Transvaal, notamment en 1895 : c'est le fameux raid de Jameson, entrepris à l'initiative de Cecil Rhodes, un homme d'affaires britannique, devenu Premier ministre du Cap en 1890 (il donna plus tard son nom à la Rhodésie). Après cette série d'escarmouches, la guerre éclate, en 1899, entre Boers et Anglais. Elle va durer trois ans, et se terminera, en 1902, par la victoire des forces britanniques. Pourtant, la résistance des Boers, incarnée par le président du Transvaal, Paul Kruger, est acharnée. Leurs chefs — De Wet «l'insaisissable», Botha, Smuts — remportent plusieurs batailles

avant de succomber à la tactique sans merci de l'armée britannique, qui incendie les fermes et interne femmes et enfants dans des camps de concentration (où 26 000 d'entre eux périront). En France et en Allemagne, l'opinion publique prend parti contre la «perfide Albion», mais Paris et Berlin s'abstiennent prudemment d'intervenir, malgré la tournée européenne du président Kruger. Vainqueurs, les Britanniques offrent néanmoins la «paix des braves» à leurs ennemis d'hier : en 1910 est créée l'Union sud-africaine, qui réunit sur un pied d'égalité le Cap et le Natal à l'Orange et au Transvaal. La capitale du nouvel État est installée à Pretoria, au Transvaal.

Entre-temps, la Grande-Bretagne a placé sous son protectorat trois royaumes africains qui avaient résisté à l'emprise des Boers, le Basutoland (l'actuel Lesotho), le Bechuanaland (aujourd'hui Botswana) et le Swaziland. Dans toute l'Afrique australe, seuls échappent à la Grande-Bretagne le Mozambique et les étendues désertiques du Sud-Ouest africain, protectorat (1884), puis colonie (1892) de l'Allemagne. La conquête allemande s'y heurte d'ailleurs à une résistance acharnée des autochtones,

▲
Le festival d'Ekuphakumeni est la grande fête annuelle des shembes : adeptes de l'Église baptiste de Nazareth, ils combinent le rituel protestant avec les danses traditionnelles des Zoulous.
Phot. A. Hutchison Lby

▲
Les vignobles de Franschhoek, qui produisent d'excellents vins, ont été plantés par des huguenots français fuyant les persécutions religieuses qui suivirent la révocation de l'édit de Nantes.
Phot. S. Held

▶
La montagne de la Table, aux murailles verticales et au sommet étonnamment plat, domine de 1 200 m la ville du Cap.
Phot. S. Held

3

notamment de la tribu des Hereros, décimée à la suite du fameux «ordre d'extermination» donné par le général von Trotha pour mater la révolte de 1906. Les colons allemands y introduisent l'élevage du mouton karakul, qui donne les peaux d'astrakan, mais la pauvreté du territoire lui vaut le surnom de *Schmerzenskind* («enfant de douleur») de la colonisation allemande. Les Blancs y sont aujourd'hui une centaine de milliers, pour un million environ de Noirs.

En 1914, l'Union sud-africaine se range aux côtés des Alliés, et une expédition s'empare du Sud-Ouest africain (en 1920, la Société des Nations donnera au gouvernement de Pretoria mandat d'administrer le territoire). Cependant, beaucoup de Boers préféraient la neutralité, ou même l'engagement aux côtés de l'Allemagne (le général De Wet conduit même une éphémère rébellion). C'est que la «paix des braves» n'a pas dissipé les rancunes accumulées par les Boers envers les Anglais. Les descendants des colons hollandais refusent de s'intégrer à la communauté anglo-saxonne. Ils affirment leur identité en remplaçant leur appellation de «Boers» par celle d'«Afrikaners» (Africains), conservent leur langue, l'afrikaans, dérivée du hollandais — qui devient langue officielle, parallèlement à l'anglais, en 1925 — et restent fidèles à l'austère calvinisme de leurs Églises réformées hollandaises.

Dès lors, la vie politique va être dominée par la lutte d'influence entre les deux communautés. Les Sud-Africains de langue anglaise se regroupent au sein de l'United Party, tandis que les Afrikaners fondent le parti national. Lorsque

se déclenche la Seconde Guerre mondiale — durant laquelle l'Union sud-africaine, devenue dominion du Commonwealth, combat à nouveau aux côtés des Alliés —, une partie des dirigeants afrikaners ne cachent pas leur sympathie pour l'Allemagne, et plusieurs d'entre eux sont internés, dont Balthazar Johannes Vorster, futur Premier ministre et président de la République.

Depuis les élections de 1948, le parti national détient la majorité au gouvernement. L'un de ses premiers gestes, en 1950, a été d'interdire le parti communiste. Pour sa part, l'United Party est allé s'affaiblissant, pour se scinder finalement en plusieurs formations, dont le Progressive Federal Party, opposé à la politique d'*apartheid* du gouvernement.

Apartheid est un mot afrikaans, signifiant simplement «séparation». Depuis la colonisation hollandaise, la ségrégation raciale a toujours été pratiquée par les autorités (sauf au Cap au XIXe siècle, sous l'influence de la London Missionnary Society). Dès avant la Première Guerre mondiale, dans les mines, les emplois d'ouvriers qualifiés étaient réservés aux Blancs (système de la *job reservation*). En 1927, la «loi d'immoralité» *(Immorality Act)* interdit formellement les relations sexuelles entre Européens et non-Européens.

Sous les gouvernements Verwoerd (1958-1966) et Vorster (1966-1978), le parti national instaure la politique dite «du développement séparé» pour les quatre communautés que distingue la législation : Blancs, *Coloureds*, Indiens et Noirs. L'*apartheid* est strictement codifié, la ségrégation appliquée dans les établissements publics, les salles de spectacle, les transports, etc. En même temps, de nouvelles structures politiques sont mises en place : les Blancs continuent à siéger seuls au Parlement, mais les «foyers nationaux» *(National Homelands)* des différentes ethnies africaines (13 p. 100 de la superficie du territoire) se voient promettre l'autonomie, puis l'indépendance : ce seront les Bantoustans. Quant aux *Coloureds* et aux Indiens, ils sont dotés de conseils représentatifs.

Cette politique se heurte à l'opposition des deux partis nationalistes africains, l'African National Congress (A. N. C.) et le Pan Africanist Congress (P. A. C.), interdits en 1960. Londres et la plupart des pays du Commonwealth y sont également hostiles. Le gouvernement fait alors adopter par référendum une constitution républicaine et quitte la communauté britannique en 1961 : l'Union sud-africaine devient la république d'Afrique du Sud.

Avec la décolonisation de l'Afrique, l'*apartheid* est attaqué de plus en plus sévèrement à l'O. N. U., notamment par le bloc afro-asiatique et les pays socialistes. Le gouvernement n'en poursuit pas moins la politique du «développement séparé» en accordant progressivement l'indépendance à plusieurs Bantoustans (Transkei en 1976, Bophutatswana en 1977, Venda en 1979 et Ciskei en 1981. Pretoria a accepté d'accorder prochainement l'indépendance au Sud-Ouest africain (qui deviendra la

◄
Le «Grand Trou» de Kimberley, aujourd'hui rempli d'eau, passe pour être la plus profonde excavation creusée par les hommes pour arracher ses trésors à la terre : il a fourni 3 tonnes de diamants.
Phot. Gerster-Rapho

Namibie), dont les Nations unies lui ont officiellement retiré la tutelle depuis 1966.

Le cap de Bonne-Espérance

La splendeur du cap de Bonne-Espérance a quelque chose d'écrasant pour le visiteur

arrivant d'Europe : avec ses rochers de granite gris, la côte découpée rappelle les sites les plus sauvages de la Bretagne, alors que la végétation méditerranéenne évoque, sous le soleil, la Riviera ou la Costa Brava. Mais, à la pointe du continent africain, le paysage est à une autre échelle. Les baies, les plages, les encorbellements et les surplombs sont dix fois, vingt fois plus profonds, plus vastes, plus escarpés ou plus hauts qu'en Europe.

▲

Avec ses pignons baroques, l'ancienne ferme de Groot Constantia, aujourd'hui musée d'État, est un des meilleurs exemples du style Cape dutch, *créé par les Hollandais qui colonisèrent le Cap.*
Phot. Duboutin-Explorer

Aussi étonnante que le fameux Pain de Sucre de Rio de Janeiro, la montagne de la Table domine la baie du Cap par une falaise presque verticale de 1 200 m de haut. Elle doit son nom à son sommet étonnamment plat, que couvre parfois une « nappe » de nuages. La ville, d'abord construite à ses pieds, s'est étendue vers l'est en contournant le pic du Diable, tandis que vers le sud s'étire la péninsule en doigts de gant qui sépare les deux océans. En moins d'une heure

de voiture, on passe des bains frisquets, même au plus fort de l'été austral, dans les vagues de l'Atlantique, à ceux, paisibles et tièdes, de False Bay, dans l'océan Indien.

La ville, la péninsule et leurs environs, dans un rayon de 150 km à peu près, recèlent, soigneusement préservés, les témoignages de l'arrivée des premiers colons hollandais : les maisons de style *Cape dutch*, à pignons d'abord triangulaires, plus tard à volutes baroques, sont

7

encore nombreuses dans une contrée riante et vallonnée, plantée de vignes. L'une des plus belles est la ferme de Groot Constantia, construite au XVIIᵉ siècle par un célèbre gouverneur de la colonie, Simon Van der Stel. C'est dans cette région privilégiée que se trouvent Franschhoek («Coin des Français») et son monument à la mémoire des huguenots.

Au-delà de la plaine littorale se succèdent les gradins des chaînes parallèles dont la dernière, le «Grand Escarpement», constitue la bordure des hauts plateaux de l'Orange et du Transvaal. Aussitôt franchis les premiers cols, le paysage change brusquement : c'est le Karroo aride et caillouteux, parsemé de buttes-témoins (*koppies*) coiffées d'un bloc de granite qui les a protégées de l'érosion, avec ses fermes isolées au milieu de maigres herbages. Le Namaqualand, battu par les vents de l'Atlantique, est à peine plus accueillant. Plus au nord, au-delà du fleuve Orange qui charrie son limon à travers ces terres ingrates avant de franchir les chutes spectaculaires d'Aughrabies et de s'engouffrer dans un impressionnant canyon, le climat est encore plus sec et plus chaud, surtout aux confins du Sud-Ouest africain et du Botswana.

C'est là que se trouve l'une des plus belles réserves d'animaux sauvages de l'Afrique du Sud, le parc de Kalahari Gemsbok : à côté des espèces locales, telles que gemsboks (chamois du Cap), springboks (gazelles qui sont devenues l'emblème sportif sud-africain), élands, bubales, lions, hyènes, etc., on trouve des chameaux, descendants de ceux importés, au début du siècle, pour les patrouilles de police dans les sables du désert.

Cette région souvent désolée est une réserve de pierres précieuses et semi-précieuses, notamment à la limite de l'État libre d'Orange, où se situe Kimberley. Avec les mines de diamants, l'attraction principale de la ville est

le «Grand Trou» creusé par les prospecteurs du siècle dernier. Cette excavation, la plus profonde du monde (1 098 m), aujourd'hui remplie d'eau, produisit 14,5 millions de carats de gemmes entre 1870 et 1914. Tombé entre les mains de Cecil Rhodes, le *Big Hole* fit la fortune de la De Beers, la compagnie qui contrôle le commerce mondial des diamants.

Changement de décor vers l'est, le long de la côte, où la province du Cap offre quelques-uns des sites les plus riants de l'Afrique du Sud. De la péninsule à Port Elizabeth se succèdent des plages immenses, coupées de promontoires rocheux, lieux de villégiature privilégiés, telles Hermanus, Mosselbaai ou Plettenbergbaai, où le touriste n'a que l'embarras du choix pour se distraire : collecte de coquillages splendides, surfing, ski nautique, pêche au «gros», plongée sous-marine, etc. La célèbre *Garden Route* («Route-Jardin») longe de plus ou moins loin la côte, à travers de magnifiques forêts de pins, d'eucalyptus bleus et de santals géants. La région produit aussi en abondance orchidées et protéas. Un crochet permet de visiter d'insolites élevages d'autruches à Oudtshoorn, à proximité des spectaculaires grottes de Cango.

C'est dans la province du Cap que les métis sont le plus nombreux. La plupart parlent non pas l'anglais, mais l'afrikaans. Leur grande fête, célébrée au début de l'année dans la péninsule, est le *Coon Carnival*, procession hilare de danseurs, de musiciens et de jongleurs.

Le «peuple rouge» du Transkei

Entre les provinces du Cap et du Natal s'étend le Bantoustan (maintenant indépendant) du Transkei, l'ancienne réserve tribale des Xhosas. L'infrastructure hôtelière y est encore

rudimentaire, et les routes goudronnées restent peu nombreuses, mais la côte offre quelques sites de toute beauté, comme celui de Port St Johns. Adossé au Drakensberg, le Transkei est un pays de collines, parsemé de villages de huttes rondes, à toit de chaume et à mur blanc. Les Xhosas qui sont restés attachés à leurs traditions ancestrales s'enduisent le corps d'ocre rouge, alors que cette coutume est abandonnée par ceux qui sont allés à l'école; d'où la distinction faite par les ethnologues entre *red people* et *school people*. Les femmes se parent de bracelets de cuivre et fument, comme les hommes, la pipe à long tuyau. La grande fête annuelle est celle de la circoncision des jeunes gens, qui portent à cette occasion un masque et une jupe de roseaux tressés.

Zoulous et Indiens du Natal

Le Natal doit son nom aux navigateurs portugais qui le découvrirent le jour de Noël, fête de la Nativité, et Durban doit le sien à un gouverneur britannique, sir Benjamin D'Urban. C'est la province d'Afrique du Sud qui abrite la plus forte proportion de Blancs de souche britannique, la majorité des Indiens et le «foyer national» de la plus importante des tribus

▲
Territoire bantou autonome, le Transkei est peuplé de Xhosas, qui mènent une vie tribale et portent encore le costume traditionnel.
Phot. Hoa-Qui

▶
La rapidité de l'antilope impala, qui progresse par bonds impressionnants, la met à l'abri des lions du parc Kruger, la réserve d'animaux la plus ancienne du monde.
Phot. S. Held

Double page suivante :
Transvaal : le canyon de la rivière Blyde est un des sites touristiques des monts Drakensberg, qui longent tout l'est du pays, de la province du Cap à la frontière du Zimbabwe-Rhodésie.
Phot. Bouillot-Marco Polo

▲
Derniers en date des immigrants qui, au cours des siècles, peuplèrent l'Afrique du Sud, les Indiens ont édifié à Durban cette mosquée cernée d'arcades.
Phot. Boutin-A.A.A. Photo

sud-africaines, celle des Zoulous. Sous le soleil tropical, on se baigne toute l'année sur des plages comme Umhlanga Rocks et Amanzimtoti, aussi belles que celles de la province du Cap, mais fréquentées par les requins.

À Durban, la plage est protégée par des filets, et on ne voit des squales que dans le remarquable aquarium qui leur est réservé (un autre héberge tortues de mer et poissons). Le parc aux Serpents possède une fantastique collection de reptiles venimeux et abrite un centre de recherches qui fournit chaque année plus de 20 000 doses de sérum. Moins inquiétante est la promenade rituelle sur le front de mer, dans un *rickshaw* (pousse-pousse) tiré par un Zoulou empanaché.

Moins vastes que le parc Kruger, les réserves d'animaux sauvages du Natal n'en sont pas moins fascinantes : celles d'Umfolozi et de Hluhluwe ont été créées pour sauver le rhinocéros blanc, qui y voisine avec un nombre impressionnant de rhinocéros noirs. La plus belle est sans doute celle de Sainte Lucie, autour de la lagune du même nom, avec ses couchers de soleil incandescents, ses hippopotames, ses crocodiles et surtout ses flamants et ses pélicans.

C'est sans doute au Natal que les combats entre Boers et Zoulous, entre Zoulous et Anglais, entre Anglais et Boers ont fait couler le plus de sang. L'amateur d'histoire peut y entreprendre un pèlerinage sur les sites des combats qui ont jalonné les trois derniers siècles. D'abord à l'emplacement du *kraal* («camp») où Dingaan attira les Voortrekkers, et au monument de Blood River, où Pretorius vengea leur massacre quelques mois plus tard. Puis dans les villages d'Isandhlwana, de Rorke's Drift et d'Ulundi, où s'affrontèrent, en 1879, Anglais et Zoulous, et sur la tombe du prince impérial, ornée d'une croix de marbre offerte par la reine Victoria. Enfin à Amajuba, la colline des Colombes (Majuba Hill) où les Boers défirent les Anglais en 1881, lors de l'un de leurs premiers affrontements, et à Ladysmith, où la garnison anglaise soutint un siège de 115 jours au début de la guerre des Boers. Ces souvenirs tumultueux contrastent avec la sérénité des paysages, en particulier celui de la vallée des Mille Collines, que la route traverse entre Durban et Pietermaritzburg.

La population indienne, venue de toutes les régions de l'ancien empire des Indes avant l'indépendance et la scission entre l'Inde et le Pakistan, appartient à des races, des classes

▲
Les Zoulous, qui peuplent le Natal, construisent des cases hémisphériques dont le matériau principal est la paille, fixée avec beaucoup d'adresse sur une légère carcasse de bois.
Phot. S. Held

◄
Vieux chef zoulou, le crâne orné de plumes d'autruche, fumant une pipe d'un modèle original.
Phot. Bouillot-Marco Polo

▲
*Procession chez les shembes du Natal, une des trois
mille sectes religieuses d'Afrique du Sud qui mélangent
l'animisme et le christianisme.*
Phot. A. Hutchison Lby

sociales et des religions très diverses. Aux descendants des *coolies*, travailleurs manuels de basse caste, sont venus s'adjoindre des commerçants aisés. Le mahatma Gandhi, alors jeune avocat, appartenait à cette classe riche lorsqu'il expérimenta pour la première fois en Afrique du Sud, avant la Première Guerre mondiale, sa doctrine de la non-violence, pour résister aux mesures de discrimination raciale prises par les autorités à l'encontre de sa communauté. Une bonne partie de celle-ci est toutefois musulmane, et la mosquée de Durban est considérée comme la plus belle et la plus grande de l'hémisphère Sud. Le marché indien offre un mélange étourdissant de senteurs et de produits d'Afrique et d'Orient, de fruits, d'épices, de parfums, de bijoux et de perles.

Peuple de pasteurs guerriers, les Zoulous sont restés une communauté très soudée. L'artisanat zoulou produit principalement des parures féminines, à dessins géométriques, faites de perles multicolores dont les teintes constituent un code : le rouge est le signe de la passion et de la jalousie ; le bleu celui des pensées tendres ; le noir exprime le désir de porter la jupe de cuir du mariage ; et le blanc symbolise la longue route qui mène les jeunes gens vers les mines d'or du Rand, d'où ils reviendront, en fin de contrat, nanti du pécule qui leur permettra d'acquitter la *lobola*, la dot due par le mari à la famille de la jeune épouse.

Le haut Veld est le pays de l'or

À l'ouest et au nord du Lesotho montagneux, les hauts plateaux s'étagent entre 1 000 et 2 000 m : c'est le haut Veld (du hollandais *veld*, «champ»), où les Voortrekkers s'installèrent au terme de leur long voyage. Climat plutôt sec, mais idéal : l'hiver, sans un nuage, les

◄
Les hautes montagnes des Drakensberg sont entaillées de gorges profondes, au fond desquelles se faufilent des ruisseaux aux eaux fraîches.
Phot. Bouillot-Marco Polo

▲
Au pied des pitons rocheux des Drakensberg, la verdoyante réserve de faune et de flore du Château des Géants abrite de nombreuses espèces animales propres aux régions montagneuses.
Phot. Bouillot-Marco Polo

températures les plus basses provoquent quelques gelées blanches ; l'été, une brève tornade, en fin d'après-midi, crève le ciel lourd et prépare une nuit fraîche. Les arbres sont clairsemés, et la forêt ne reprend ses droits que vers le nord, dans un relief plus accidenté, aux approches de la vallée du Limpopo qui sert de frontière avec le Zimbabwe-Rhodésie. Le haut Veld est la terre du maïs, nourriture de base de la population africaine, qui le consomme sous forme de bouillie, le *mealie-meal*. Mais la vraie richesse est celle du sous-sol, où, comble de chance ! il s'est révélé que les roches aurifères contenaient également de l'uranium.

Johannesburg, la ville de l'or, fondée à la fin du siècle dernier, est située au cœur de la région minière du Witwatersrand — communément appelée « Rand » — qui a donné son

la De Beers. Johannesburg jouit d'une vie culturelle intense, en partie grâce à son importante communauté israélite (une centaine de milliers de personnes). Le quartier (relativement) « chaud » de Hillbrow est le seul à connaître une certaine animation nocturne. Les premières discothèques multiraciales viennent de s'y ouvrir.

À une heure à peine de voiture de Johannesburg, Pretoria, la capitale (où siège le gouvernement, tandis que le Parlement se réunit au Cap, capitale législative), fait figure de cité provinciale, avec ses paisibles avenues bordées de jacarandas. L'administration centrale occupe les Union Buildings, immenses bâtiments à colonnades construits sur une éminence, et la statue de bronze du président Kruger en redingote et chapeau haut de forme se dresse au milieu de Church Square, au cœur de la ville.

Aux abords immédiats de la capitale s'élève le plus impressionnant des monuments sud-africains, celui des Voortrekkers ; flanqué, aux quatre coins, des statues massives des chefs du Grand Trek, il est entouré de 64 chars à bœufs en bas relief, le nombre exact de ceux qui, lors de la bataille de Blood River, formèrent le cercle du *laager* (« camp ») à l'intérieur duquel les Boers et leurs familles se retranchèrent pour résister à l'assaut des guerriers noirs. À l'intérieur, la salle des Héros est décorée d'une frise de marbre illustrant les divers épisodes du Grand Trek.

La grande attraction du Transvaal — et peut-être de toute l'Afrique du Sud — est le parc national Kruger, à la frontière du Mozambique. D'une superficie à peu près égale à celle de la Belgique, c'est l'une des plus vastes réserves d'animaux du monde et la plus ancienne. 2 400 km de routes, dont beaucoup sont goudronnées, la sillonnent, et l'on s'y déplace en voiture entre 12 camps, pourvus de restaurants, où les touristes sont logés dans des *rondavels* (bungalows ronds bien aménagés). La faune est extrêmement variée : impalas, gnous bleus, girafes, zèbres, babouins, lions, éléphants, crocodiles, buffles, guépards, etc. Le seul reproche que l'on puisse peut-être adresser à cette immense réserve est d'être un peu trop fréquentée.

Le folklore de Papatso, centre d'artisanat tribal créé à la lisière du nouvel État indépendant du Bophutatswana (« foyer national » des Tswanas), présente, lui aussi, l'inconvénient de la commercialisation, qui a abouti à ce que l'on appelle, en Afrique noire, l'« art des aérports ».

Le Sud-Ouest africain, ou Namibie

L'allemand est resté langue officielle, aux côtés de l'anglais et de l'afrikaans, au Sud-Ouest africain : l'*Alte Feste* (« vieux fort ») de Windhoek, la capitale, le *Schloss* (« château ») Duwisib, près de Maltahöhe, le fort de Namutoni, aux abords de l'Etosha Pan, dans le Nord,

nom à l'unité monétaire sud-africaine. Ville neuve s'il en fut, elle est construite à l'américaine, avec des rues à angle droit, le long desquelles s'alignent des immeubles de béton dont les plus récents sont des gratte-ciel. La ville noire jumelle de Soweto, avec ses interminables alignements de maisonnettes bâties en série, n'est guère plus souriante. Autour de la ville, des collines carrées et plates de minerai poussiéreux, débarrassé de son or, ceinturent l'horizon. Îlots privilégiés dans cette agglomération de un million et demi d'habitants — dont la moitié à Soweto —, les quartiers résidentiels européens les plus cossus ont des villas dotées de piscines et de courts de tennis. C'est là que se trouve la somptueuse propriété du magnat de l'or et du diamant, Harry Oppenheimer, qui contrôle les mines d'or de l'Anglo American et

▲

Séduites par la tenue des épouses des premiers pasteurs luthériens, les femmes hereros du Sud-Ouest africain s'habillent toujours à la mode victorienne.
Phot. Jamain-Sidoc

témoignent de la colonisation germanique. Windhoek, avec ses cafés-brasseries et ses épiceries où l'on vend des *Delikatessen*, a gardé une certaine ambiance d'outre-Rhin.

Les femmes de l'ethnie herero introduisent une fantaisie vestimentaire inattendue en continuant de s'habiller avec les amples jupes et les corsages ajustés que les épouses des premiers pasteurs de l'Église luthérienne allemande portaient à la fin du siècle dernier. Le territoire alloué aux Bochimans est situé dans le nord-est du pays : beaucoup d'entre eux chassent encore à l'arc avec des flèches empoisonnées et savent déceler sous le sable la nappe d'eau souterraine qu'ils aspireront avec la tige d'un bambou. Autre communauté : celle des Bastaards (« Bâtards »), ou Rehobothers (du nom de leur capitale au nom biblique, Rehoboth), descendants de l'une des bandes de métis qui guerroyèrent aux côtés des Boers et que les Anglais refoulèrent vers l'intérieur ; les Allemands reconnurent par traité l'autonomie de leur minuscule république.

Son million d'habitants donne au Sud-Ouest africain une densité démographique de un habitant au kilomètre carré, et les espaces vides

sont immenses : les fermes d'élevage du karakul s'étendent souvent sur des milliers d'hectares (on compte qu'il faut un hectare de pâturage par mouton). Mais le littoral, où séjournent des troupeaux de phoques, est un paradis pour les pêcheurs, et le sous-sol est très riche. L'abondance des diamants alluviaux est telle que les zones où ils sont extraits (au sud-ouest, en bordure de la côte) sont interdites à toute personne étrangère aux compagnies minières. Aux gemmes et aux diamants industriels est venu s'ajouter le minerai d'uranium, récemment découvert à Rössing.

Coincé, pour ainsi dire, entre ses deux déserts, celui du Namib sur la côte et celui du Kalahari à l'est, le pays n'est suffisamment arrosé pour permettre aux arbres et aux cultures de pousser que dans le Nord, en pays ovambo, à la frontière de l'Angola. C'est dans cette région que se trouve le parc national d'Etosha Pan, dans la cuvette du même nom, où se loge un chott (lac salé intermittent) aux limites indécises. Le parc d'Etosha Pan est presque aussi vaste que le parc Kruger, et sa faune est aussi variée. Le fort de Namutoni — où 7 soldats allemands résistèrent, en 1904, au

siège de 500 Ovambos — a été transformé en hôtel.

Le sud du pays recèle un site grandiose : le canyon, long d'une centaine de kilomètres, de la Fish River, affluent temporaire de l'Orange, encaissé entre des parois de 600 m de hauteur.

La plus célèbre peinture rupestre des Bochimans, la fameuse *Dame blanche*, se trouve sur le mont Brandberg, bloc de granite isolé de 2 605 m d'altitude, proche de la côte et difficilement accessible par une piste sommaire. Gracieuse silhouette peinte en blanc jusqu'à la ceinture, tenant un arc d'une main et semblant offrir une sorte de calice de l'autre, la *Dame blanche* est plus probablement le portrait d'un svelte guerrier que celui d'une mystérieuse princesse phénicienne, comme l'ont supposé certains archéologues trop enclins à prendre à la lettre les récits plus ou moins fabuleux selon lesquels les marins de Tyr et de Sidon auraient fait le tour de l'Afrique avant notre ère.

Enfin, la future Namibie offre aux touristes une des fleurs les plus extraordinaires du monde, le célèbre welwitschia, qui croît dans les dunes et se nourrit des brouillards de la Côte des Squelettes ■   Claude WAUTHIER

◀

Pretoria : le Voortrekker Monument évoque le Grand Trek et les chariots bâchés avec lesquels les Boers abandonnèrent la région du Cap, occupée par les Anglais, pour chercher de nouvelles terres vers le nord.
Phot. S. Held

▲

Transvaal : le goût des Ndébélés pour les ornements se manifeste aussi bien dans la parure des femmes que dans les peintures géométriques des murs.
Phot. Buthaud-Sidoc

▶

Autruches dans le parc d'Etosha Pan, dont les immenses étendues arides permettent aux animaux qui ne craignent pas la sécheresse de s'ébattre en toute liberté.
Phot. Fraenkel-A. Hutchison Lby

Le Lesotho

L'ancien protectorat britannique du Basutoland, qui a pris le nom de Lesotho lors de son
accession à l'indépendance, en 1966, est un petit
pays montagneux et pauvre, entièrement enclavé
dans le territoire sud-africain. C'est là que se
trouve le point culminant de l'Afrique australe,
le Thabantshonyana (3 482 m), dans le massif du
Drakensberg, et que le grand fleuve d'Afrique du
Sud, l'Orange, prend sa source. Les paysages
sont souvent grandioses, mais les terres sont
usées par l'érosion, et les Sothos — qui sont un
peu plus de 1 million pour une superficie de
30 343 km² — s'expatrient pour aller travailler
dans les mines d'or sud-africaines. L'une des

seules ressources est l'élevage des moutons et des
chèvres, en particulier des chèvres mohairs, avec
le poil desquelles on fabrique de magnifiques
couvertures aux dessins variés. Avec le chapeau
conique en paille, ces couvertures, dans lesquelles on se drape, constituent le costume national. Le moyen de transport le plus courant est le
cheval, le plus souvent sur des pistes, les routes
goudronnées restant rares.

Le Lesotho commence cependant à s'ouvrir au
tourisme. L'un de ses plus beaux sites est la
forteresse naturelle du Thaba Bosiu, d'où le
grand roi Moshoeshoe Iᵉʳ défia les Zoulous et les
Boers avant de demander la protection de la
reine Victoria. Les Bochimans ont laissé de
nombreuses peintures rupestres dans les grottes
où ils vivaient. Une station de ski vient d'être
aménagée dans les monts Maluti, et Maseru, la

capitale, dispose maintenant de plusieurs hôtels
extrêmement confortables.

Le Lesotho est une monarchie constitution-
nelle — le souverain actuel est un descendant du
grand Moshoeshoe —, en union douanière et
monétaire avec l'Afrique du Sud, et la monnaie nationale — le maloti, récemment créé —
s'échange à parité avec le rand sud-africain. La
population est chrétienne à plus de 75 p. 100, et
le taux d'alphabétisation est un des plus élevés
d'Afrique. La littérature sotho est particulièrement riche, en partie grâce aux Missions évan-
géliques de Paris, qui s'établirent à Morija au
siècle dernier et y installèrent une imprimerie.

Quelques gisements de diamants sont exploités
(se méfier des faux revendeurs clandestins, qui,
à la sortie des hôtels, proposent des pierres qui
ne sont que des éclats de quartz).

Le Swaziland

Le Swaziland est enclavé entre le Mozambique
et l'Afrique du Sud. C'est un pays où la forêt
couvre de vastes étendues. Les fermiers européens possèdent environ la moitié des terres,
consacrées surtout à l'élevage, mais aussi aux
cultures fruitières (ananas, citrons, bananes,
etc.), et des sociétés sud-africaines et anglo-
saxonnes exploitent les mines de fer et d'amiante,
ainsi que des plantations de canne à sucre.

Le Swaziland a été gouverné jusqu'en 1982 par
un souverain conservateur, qui fit assister sa
centaine d'épouses aux fêtes de l'Indépendance,
proclamée en 1968, après soixante-six ans de
protectorat britannique. Un très jeune prince lui
a succédé. Les traditions swazies sont jalouse-
ment observées, jusques et y compris pour
l'élection des députés, et les deux grandes fêtes
traditionnelles de la tribu sont régulièrement
célébrées. La première, l'incwala, est donnée en
l'honneur du roi, le ngwenyama («lion»). Après
la danse des guerriers en grande tenue, les jeunes
gens amènent un taureau noir dans l'enclos royal
et l'égorgent de leurs mains avant de lui arracher
le cœur, qui servira à fabriquer des onguents pour
l'usage du monarque. La seconde est l'umhlanga,
la «danse des roseaux», donnée en l'honneur de
la reine mère, la ndlovukasi (éléphant femelle) :
les jeunes filles apportent en procession des
roseaux fraîchement coupés, qui serviront à réparer les toits des huttes de la souveraine. Ces
deux cérémonies se déroulent au village royal de
Lobamba, non loin de Mbabane, la capitale.

Peuplé d'un peu plus de 500 000 habitants pour
une superficie de 17 363 km², le Swaziland est
ouvert au tourisme depuis de nombreuses années,
et les Sud-Africains le fréquentent volontiers. Ils
y trouvent, entre autres, un casino (près de
Mbabane), alors que les jeux de hasard sont
interdits dans leur pays. Les routes qui relient les
principales agglomérations sont bonnes.

La monnaie, le lilangeni, s'échange à parité
avec le rand de l'Afrique du Sud, avec laquelle
le Swaziland est en union monétaire et douanière.

▲
Les couvertures de mohair du Lesotho sont ornées de
motifs traditionnels, indiquant à quel parti politique
appartient l'homme qui se drape dedans.
Phot. S. Held

le Zimbabwe

La Suisse de l'Afrique : c'est ainsi que les Zimbabwéens appellent leur pays, un pays de petite taille si on le compare aux géants sud-africain et zaïrois. L'échelle y est humaine, le climat, tempéré, la végétation, verdoyante. Dôme de hautes terres, cerné par le Zambèze et le Limpopo, le Zimbabwe fait figure de petite Europe entre les grandes étendues semi-désertiques du Kalahari à l'ouest, la savane zambienne au nord-ouest et le gigantesque Mozambique qui le sépare de l'océan Indien.

Son histoire pourrait être celle d'un des États tampons de l'Europe, souvent déchirés, toujours au bord du drame, mais riches d'un passé légendaire dont les mystères n'ont jamais été complètement éclaircis.

Il faut remonter très loin dans le temps pour retrouver les débuts de cette histoire. Ils se confondent avec l'aube de l'humanité. Le premier

Zimbabwéen a 800 000 ans, il s'appelle *Homo rhodesiensis*. Ses descendants directs, les Bochimans, nous ont laissé, en témoignage de l'ancienneté de leur présence dans ces parages, d'innombrables peintures rupestres qui racontent leur épopée à la manière des bandes dessinées. Ces petits hommes jaunes, qui n'ont guère changé depuis le paléolithique, se sont réfugiés dans l'inhospitalier Kalahari après avoir été décimés par les Bantous descendus du nord entre le Ve et le XIXe siècle, et par les Européens venus du sud à partir du XVIIIe siècle.

L'énigme de Zimbabwe

C'est vers le Xe siècle de notre ère que l'histoire se mêle à la légende, enflammant les

▲

Un relief accidenté, enfermant des vallées verdoyantes entre d'âpres hauteurs rocheuses, a valu au Zimbabwe le surnom de « Suisse de l'Afrique ». (Mont Vumba, près d'Umtali.)
Phot. Pictor-Aarons

imaginations, faisant naître les rêves les plus insensés et, finalement, laissant intacte l'énigme de Zimbabwe. Pendant longtemps, ce nom ne fut qu'un mirage lointain, inaccessible. La capitale d'un empire fabuleux, où s'entassaient les trésors accumulés grâce aux mines d'or du Monomotapa, le « seigneur des mines », qui régnait sur ces merveilles.

Les premiers Européens touchés par la légende furent les successeurs de Vasco de Gama. Sitôt implantés au Mozambique, au XVe siècle, ils organisèrent des expéditions vers cet eldorado. Le gouverneur du Bas-Zambèze, Lacerda, fut le premier à se lancer dans l'aventure. Son but était d'effectuer la liaison entre l'Angola et le Mozambique, joignant ainsi les premières colonies portugaises. Il mourut sans avoir pu atteindre Zimbabwe, ce qui ne fit qu'accroître le prestige du Monomotapa. Mais,

le Zimbabwe

1

Histoire
Quelques repères

IXᵉ-Xᵉ s. : naissance de l'empire bantou du Monomotapa.

XVIᵉ s. : les premiers explorateurs portugais partent à la conquête de l'or du Monomotapa.

1855 : Livingstone découvre les chutes du Zambèze.

1890 : Cecil Rhodes, à la tête de 200 pionniers, occupe le Mashonaland.

1923 : la Rhodésie devient une colonie de la Couronne.

1946-1951 : forte immigration britannique, due aux difficultés économiques du Royaume-Uni.

1957 : fondation du premier parti nationaliste, le Congrès national africain de la Rhodésie du Sud.

1963 : nouvelle constitution : les Noirs sont représentés à l'Assemblée nationale.

1965 : le Premier ministre Ian Smith déclare unilatéralement l'indépendance de la Rhodésie ; rupture avec Londres.

1970 : proclamation de la république.

1974 : Ian Smith admet le principe d'un gouvernement à majorité noire.

1978 : accord de règlement interne entre leaders noirs modérés et Ian Smith.

1980 : indépendance du Zimbabwe. Premier ministre : Robert Mugabe.

bien avant Lacerda, les Perses et les Arabes commerçaient sur la côte avec des hommes venus de Zimbabwe, vêtus de peaux de bête et armés d'arcs et de sagaies, et ils s'étaient enrichis avec l'or, l'ivoire et les esclaves du Monomotapa.

D'autres tentatives furent faites pour percer le mystère de Zimbabwe. Barreto, un ancien gouverneur des Indes, ne réussit jamais à atteindre son but. Plus tard, Hernando parvint à Zimbabwe, mais ne put approcher le Monomotapa. Lorsque les Portugais entrèrent enfin en rapport avec l'insaisissable souverain, le royaume était depuis longtemps sur le déclin, et le vieux rêve s'écroula.

Zimbabwe signifiant « maison de pierre », il y a plusieurs Zimbabwe dans le pays, mais le Grand Zimbabwe, le site archéologique le plus important de toute l'Afrique noire, se trouve à une trentaine de kilomètres de Fort Victoria. Les ruines, dont les plus anciennes semblent remonter au IVᵉ siècle, bien avant l'empire du Monomotapa, forment trois ensembles — l'Acropole, le Temple et la Vallée des ruines —, situés dans un parc national.

Au sommet d'une colline, l'Acropole se compose d'une série d'enclos, délimités par d'épaisses murailles de pierres sèches, taillées à la main, comme toutes celles de Zimbabwe. Au pied de la colline, le Temple est l'édifice le

plus impressionnant : une enceinte elliptique de 600 m de tour, haute de près de 10 m, épaisse de 5 m, enferme un mur intérieur et une tour conique.

Enfin, la Vallée des ruines contient les soubassements de pierre d'anciennes maisons de torchis ; c'était probablement la zone d'habitation.

On pense maintenant que le Temple était le palais royal, alors que l'Acropole était une

◄

Ruines de Zimbabwe : à l'intérieur de l'enceinte elliptique du Temple, une seconde muraille de pierres taillées forme un étroit couloir.
Phot. Duboutin-Explorer

sorte de sanctuaire, où les sorciers — ou les prêtres — invoquaient les dieux et offraient éventuellement des sacrifices. Il semble qu'elle ait également servi de nécropole aux rois.

L'apogée de cette extraordinaire civilisation a dû se situer vers le XIIIe siècle, donc bien avant l'arrivée des premiers Européens. Il est probable que les grands constructeurs de cet empire furent les Chonas, l'ethnie majoritaire du Zimbabwe. Ceux-ci furent réduits en escla-

vage par des Zoulous venus du sud aux alentours de 1830, les Matabélés.

Au sud, la savane et l'or

Au sud de Zimbabwe commence le bas Veld et la dépression du Limpopo : un paysage de savane et de jungle, au climat chaud et sec,

domaine de prédilection de la mouche tsé-tsé. Bref, une région peu attrayante s'il n'y avait, le long de la frontière du Mozambique, la réserve de chasse Gona-Re-Zhou. C'est une contrée peu peuplée, où vivent quelques Karangas, des éleveurs de bétail appartenant à la grande famille des Chonas.

En remontant vers Fort Victoria, on croise la rivière Mtilikwe, qui fut, pendant des siècles, la principale voie d'accès vers le centre du

▲
Le Temple de Zimbabwe semble avoir été le palais du Monomotapa, légendaire chef d'un vaste empire bantou qui prospéra, il y a plus d'un demi-millénaire, grâce à l'or, à l'ivoire et au trafic d'esclaves.
Phot. C. Lénars

le Zimbabwe

3

ils ne descendaient jamais plus bas que la nappe phréatique, c'est-à-dire à une trentaine de mètres de profondeur. Il existe un spécimen d'exploitation vieux de huit siècles. C'est un ensemble de failles et d'excavations où seules des femmes de petite taille ou des enfants pouvaient se glisser. Sur le front d'attaque, ils chauffaient la roche au feu, puis la faisaient éclater en y jetant de l'eau.

Vers l'ouest, en se rapprochant de la frontière du Botswana, on aborde une région plus élevée : le moyen Veld. Les Européens y furent attirés par le climat doux et surtout par les gisements aurifères. C'est là qu'ils fondèrent la ville de Bulawayo, où, en 1861, Robert Moffat, le beau-père de Livingstone, installa la première mission.

C'est le territoire des Matabélés. Au début du XIXe siècle, leurs ancêtres vivaient beaucoup plus au sud et faisaient partie de la famille des Zoulous. C'était l'époque du grand Chaka, une sorte d'Attila africain. Les Matabélés s'appelaient alors « Ngunis ». Leur clan avait pour chef un nommé Mozelikatsé, réputé pour son courage et son autorité. Celui-ci, à la suite d'un combat victorieux, refusa de remettre à Chaka le bétail pris à l'ennemi comme butin. Les représailles ne se firent pas attendre, et Mozelikatsé, suivi de son petit peuple, dut fuir vers le nord en quête de nouvelles terres. Sa migration fut longue et difficile. Après plusieurs séjours sur les bords du fleuve Oliphants, dans le Transvaal, il s'attaqua aux Sothos, qui lui refusaient le passage. Cette période coïncide avec le Grand Trek des Boers, et les Ngunis ne purent affronter ce nouvel ennemi, plus redoutable parce que mieux armé.

Ils reprirent donc leur marche vers le nord, précédés des femmes et des enfants conduisant les troupeaux. Le clan de Mozelikatsé se fixa enfin dans les alentours de l'actuelle Bulawayo. Deux obstacles restaient cependant à surmonter, les Chonas, qui occupaient alors cette partie du Zimbabwe, et les survivants de l'an-

pays. C'est l'itinéraire qu'emprunta Adam Renders, un chasseur américain habitant le Transvaal, le « découvreur » de Zimbabwe.

Dans un paysage de *bush* (savane sèche parsemée de buissons et d'épineux), les Zimbabwéens ont fait pousser des cannes à sucre, des orangers, du coton, après avoir amené l'eau par un canal alimenté par le lac du barrage de Kyle. Les petites villes qu'ils ont aménagées sont des oasis de fraîcheur dans ce demi-désert, avec leurs bungalows nichés dans des massifs de fleurs encadrés d'avenues au sol rouge.

Sur les rives du Chiredzi, les Bochimans ont orné les parois des cavernes de fresques représentant des scènes de chasse à l'arc et au javelot. Les couleurs ont parfaitement résisté au temps : hématite pour le rouge, limonite pour le brun, kaolin pour le blanc. Les animaux, dont le mouvement est remarquablement bien saisi, témoignent de la variété de la faune à cette époque reculée.

Au nord-ouest de Zimbabwe, Que Que, une petite ville où les *ranchmen* viennent étancher leur soif, doit son nom à la rivière Kwe-kwe, onomatopée du cri des grenouilles. Cette rivière est bordée de dolomies rouges et vertes dont les veines de quartz recèlent de l'or à très haute teneur. Les mines sont maintenant exploitées mécaniquement, mais les anciens mineurs ne disposaient que d'un outillage rudimentaire, et

▲
Les artistes d'aujourd'hui s'inspirent des traditions d'autrefois et leurs œuvres sont chargées de symboles : sur cette sculpture de Malayi, les doubles yeux représentent la dualité de la conscience, à la fois divine et humaine.
Phot. Geher-A.A.A.Photo

▲
Musicien bantou et son « arc-en-bouche » : en utilisant la bouche comme caisse de résonance, on parvient à tirer des sons modulés de cet instrument rudimentaire.
Phot. Fiore

▲
*Près de Zimbabwe, un village typique, reconstitué dans
ses moindres détails, donne une idée du mode de vie
des Karangas au siècle dernier.*
Phot. Beylau-Hoa-Qui

cien Empire roswi. Ces populations isolées furent assimilées par les Ngunis, ce qui donna naissance au groupe ethnique des Matabélés. Ceux-ci se soulevèrent en 1896, mais, vite matés, ils ne purent s'opposer à l'annexion de leur territoire à l'ex-Rhodésie.

Le brouillard qui tonne

Au nord, l'altitude s'infléchit de nouveau : c'est la vallée du Zambèze. Le territoire du Zimbabwe se resserre à l'ouest jusqu'à former un bec pointu, fiché comme un coin entre le Botswana et la Zambie.

Le plus long fleuve d'Afrique méridionale coule paresseusement à travers la plaine. Quelques kilomètres à peine après avoir commencé à servir de frontière entre la Zambie et le Zimbabwe, il voit son lit se rétrécir brutalement entre des parois rocheuses. Ses centaines de millions de litres d'eau, comme pris par surprise, s'effondrent en mugissant dans un gouffre de plus de 100 m de profondeur pour se ruer, écumants, dans une gorge étroite, sinueuse, à l'issue de laquelle une large vallée leur restitue leur sérénité.

Livingstone fut le premier Blanc à contempler ces immenses murs d'eau, que les autochtones appellent « le brouillard qui tonne ». Il raconte dans son journal, en 1855, la joie intense que lui procura ce qu'il considérait comme la récompense des efforts surhumains qu'il avait dû fournir pour arriver jusque-là. Il descendait le Zambèze en pirogue, accompagné de ses porteurs, lorsqu'il aperçut au loin une curieuse vapeur s'élevant très haut dans le ciel, comme la fumée d'un feu de brousse dont les volutes se dénouent au gré du vent. Il s'arrêta sur une île, au bord du précipice. Stupéfait, il demeura longtemps en contemplation devant ce spectacle unique au monde : sur un front de 1 700 m de large, des colonnes d'écume aux proportions colossales s'abîmaient dans un grondement qui semblait venir des profondeurs de la terre. Le tonnerre des chutes était si assourdissant que l'on commençait à l'entendre à plus de 20 km de distance.

Depuis, une petite ville charmante, aux avenues bordées d'arbres, s'est édifiée à une distance suffisante des chutes Victoria — les « Falls », comme disaient les Rhodésiens — pour que les abords immédiats de celles-ci restent intacts. L'émotion qu'on ne peut s'empêcher de ressentir n'en est que plus forte à la pensée que cette vision grandiose est exactement la même que celle qui bouleversa Livingstone il y a cent vingt-cinq ans.

En aval des chutes, toujours sur la frontière zambienne, le fleuve paisible cède la place à l'un des plus vastes lacs artificiels du monde (280 km de long). Le barrage en arc de cercle qui coupe les gorges de Kariba a 128 m de hauteur. Avant sa mise en eau, il a fallu déplacer plus de 50 000 Tongas (ou Batongas) qui vivaient sur les rives. Ceux-ci constituent la tribu la plus primitive du Zimbabwe. Vivant en

petits clans autonomes, utilisant des outils et des ustensiles en granite qui semblent sortir tout droit de l'âge de la pierre, ils tiraient leur subsistance de la pêche, et toutes les tentatives pour les convertir à l'agriculture ont été vaines. Les Tongas ont choisi de conserver le mode de vie qui a toujours été le leur et, bien que transplantés, ils ont réussi à préserver l'originalité de leur culture.

En même temps que les hommes, il fallut aussi mettre à l'abri les milliers d'animaux qui peuplaient la région. Pour accueillir cette faune, l'endroit idéal s'avéra être la zone pratiquement inhabitée qui s'étend le long de la frontière du Botswana, entre les chutes Victoria et Bula-

wayo : le parc national de Wankie est une steppe où rien n'arrête le regard. Dans la lumière dorée des inoubliables couchers de soleil africains, des hardes de buffles, de gnous, de koudous soulèvent des nuages de poussière ocre, filtrant les derniers rayons en donnant un aspect irréel à des scènes qui semblent se perpétuer depuis le début des temps. Les troupeaux d'éléphants, femelles en tête, suivies des petits, protégés par les vieux mâles qui ferment la marche, vont d'un pas lent et majestueux jusqu'aux mares et plongent leurs trompes dans l'eau pour se désaltérer d'abord, pour se rafraîchir ensuite en s'aspergeant, afin d'atténuer les effets de la chaleur torride.

◀ *Refoulés vers l'ouest au XIXᵉ s., les pacifiques Matabélés appartenaient jadis à la redoutable famille des Zoulous, et leurs danses évoquent les souvenirs encore vivaces de ce passé guerrier.*
Phot. Weckler-Image Bank

▲ *Premiers occupants du pays, les Bochimans ont couvert les parois des cavernes de peintures pleines de mouvement, révélant un sens aigu de l'observation et de réels talents artistiques.*
Phot. C. Lénars

▶ *Les chutes Victoria, où le paresseux Zambèze plonge brusquement dans un étroit ravin de plus de 100 m de profondeur, sont l'une des curiosités naturelles les plus grandioses du monde.*
Phot. Boutin-Atlas-Photo

La cité des arbres en fleur

Harare, la capitale, est une ville moderne, aux larges avenues et aux jardins plantés d'arbres et de parterres de fleurs. Située sur le plateau du haut Veld, dont l'altitude moyenne est de 1 500 m, elle jouit d'un climat agréable : pluies rares, fraîcheur vivifiante et lumière éclatante sont les atouts de ce site privilégié.

Un jour de septembre 1890, trois officiers d'une colonne de pionniers, partis en éclai-reurs, grimpèrent sur une colline pour inspecter les environs. Parvenus au sommet, ils eurent la surprise de découvrir à leurs pieds une vallée riante, dont la verdure et la douceur leur rappelèrent leur lointaine Europe. Comme ils ignoraient le nom de cette vallée, ils lui donnèrent celui du Premier ministre de Grande-Bretagne. Salisbury était née.

Après les pionniers vinrent les missionnaires, les aventuriers et les prospecteurs attirés par l'or. À la tête de ces derniers se trouvait Cecil Rhodes, l'homme des mines d'or et de diamants

▲
Vue des jardins fleuris du Kopje, Harare, la très moderne capitale du Zimbabwe, apparaît nichée dans un écrin de verdure.
Phot. C. Lénars

▲
Les « Balancing Rocks » sont une des attractions du parc national des Matopo Hills, où l'érosion a édifié d'étranges structures de granite.
Phot. Anne-Marie-A.A.A.Photo

d'Afrique du Sud, qui devait donner son nom au pays. Il organisa l'occupation du Mashona-land, résistant à la fois aux Portugais, qui n'avaient pas abandonné l'idée d'étendre leurs colonies de la côte est à la côte ouest en joignant le Mozambique à l'Angola, et aux Boers, qui projetaient d'agrandir leur territoire vers le nord. Il lui fallut ensuite combattre les Chonas et les Matabélés, qui profitèrent d'un raid contre les Boers pour se soulever.

le Zimbabwe

10

En 1923, la Rhodésie du Sud devint une colonie de la Couronne. En 1953, elle fusionna avec la Rhodésie du Nord (Zambie) et le Nyassaland (Malawi) pour former une fédération. Celle-ci fut dissoute au bout de dix ans, et la Rhodésie, sous la pression des nationalistes, dont les désirs étaient, évidemment, diamétralement opposés à ceux des Rhodésiens blancs, soucieux de défendre leurs intérêts, fut dotée d'une nouvelle constitution. Lorsque la Grande-Bretagne accorda l'indépendance au Malawi et à la Zambie, mais la refusa à la Rhodésie qui n'acceptait pas d'abolir sa législation raciale, les colons proclamèrent unilatéralement l'indépendance pour garder la suprématie.

Cette rébellion des Rhodésiens contre la couronne ne prendra fin qu'en 1979. Cette même année un cessez-le-feu intervient entre l'armée rhodésienne et les nationalistes. Deux ans plus tard l'indépendance est proclamée. La Rhodésie devient le Zimbabwe.

Malheureusement la paix n'est pas encore totale du fait de l'existence d'une forte opposition. Pourtant, aussi graves que soient les problèmes qui restent à résoudre, cette portion d'Afrique australe, convoitée pour ses richesses, restera, par ses paysages attachants, sa faune abondante et variée, ses populations aux cultures passionnantes, l'un des pays où l'on se promet toujours de revenir ■ Philippe JAMAIN

▲
L'étrange revêtement de mousses et de lichens qui marbre les architectures tourmentées des monts Chimanimani ne saurait rivaliser de couleurs avec le coucher du soleil.
Phot. Pictor-Aarons

▶
L'énorme baobab, dont la croissance est pratiquement illimitée, semble bien à l'étroit dans un jardin public de Victoria Falls, ville essentiellement touristique.
Phot. Hoa-Qui

le Zimbabwe

11

le Malawi

Le Malawi est l'un des plus petits États d'Afrique, mais c'est peut-être l'un des plus beaux, un alignement de montagnes brunes, frangées de bleu étincelant par le lac Malawi (ex-lac Nyassa), qui s'étire sur près de 600 km. Le début, en fait, de la Rift Valley, immense balafre qui entaille l'écorce terrestre jusqu'à la mer Rouge. Formé, à la fin de l'ère secondaire, par une série d'effondrements, ce monstrueux accident géologique a donné d'étranges et merveilleux résultats. Les chaînes de montagnes, sillonnées de gorges, de torrents et de cascades qui contrastent avec la forêt dense qui s'étend plus bas, sont d'une grande beauté. Des volcans éteints, gigantesques cirques lunaires, dominent la région du lac, dont les rives, bordées d'un épais rideau de papyrus géants, sont peuplées de crocodiles et de troupeaux d'hippopotames. La région fleurie du lac Malombe et de la dépression du Shire repose de l'austère magnificence des sommets déchiquetés du Mlanje, qui culmine à 3 000 m.

Au nord, le pittoresque plateau de Vipya, dans la région de Mzimba, qui ressemble étonnamment aux plus belles régions de l'Écosse, et celui de Nyika, couvert d'une forêt d'un vert profond, sont des lieux prédestinés à l'éclosion d'une multitude de légendes.

Du nord au sud, les parcs nationaux de Nyika, de Kasungu et de Lengwe abritent une faune abondante, s'ébattant en toute liberté.

Livingstone et les Portugais

Éternels précurseurs, les Portugais furent les premiers Européens à visiter le Nyassaland. Dès le XVIIe siècle, une fois solidement implantés sur la côte du Mozambique, ils s'enfoncèrent vers l'intérieur dans l'espoir de trouver des terres fertiles à inclure dans leurs colonies.

Mais le véritable découvreur du Nyassaland fut l'infatigable missionnaire-explorateur écossais Livingstone. Méthodique, laissant d'abondants relevés topographiques et d'innombrables descriptions, il a raconté chacun des kilomètres qu'il parcourut avec ses porteurs.

Après avoir découvert les chutes du Zambèze en 1855, il descendit le fleuve jusqu'à Tete, au Mozambique, où les Portugais lui firent un accueil assez tiède. Au printemps de l'année suivante, après un séjour en Angleterre, il se rendit à l'embouchure du Zambèze dans l'intention de remonter le fleuve en bateau, mais il fut arrêté par les rapides de Quebrabasa, qui rendaient toute navigation impossible. Loin de

▲
Avec ses 580 km de longueur et ses 26 000 km² de superficie, bordés de plages de sable doré, le lac Malawi fait figure de mer intérieure.
Phot. Hoa-Qui

1

Histoire
Quelques repères

XVIIᵉ s. : les Portugais atteignent le lac Nyassa.
1859 : Livingstone explore le Nyassaland.
1875 : établissement de missionnaires écossais.
1878 : création de la société des Lacs africains.
1891 : le Nyassaland devient protectorat britannique.
1904 : le Nyassaland colonie de la Couronne.
1944 : fondation du premier organisme politique nationaliste de l'Afrique centrale et orientale, le Nyassaland African Congress (N. A. C.).
1953 : malgré l'opposition des Africains, les Européens créent une fédération englobant le Nyassaland et les deux Rhodésies ; émeutes.
1959 : le Dr. Hastings Banda prend la tête du N. A. C. et organise la « désobéissance civile ».
1964 : indépendance du Nyassaland, qui devient l'État du Malawi.
1966 : proclamation de la république, présidée par Hastings Banda.
1970 : Hastings Banda est nommé président à vie ; développement de la coopération avec l'Afrique du Sud.

renoncer, il fit demi-tour et remonta le fleuve Shire jusqu'aux rapides de Murchison. Là, il poursuivit son chemin à pied jusqu'au lac Nyassa. Cette voie de pénétration vers l'intérieur devint sa route préférée. Il commença par aider des missionnaires à s'installer au Nyassaland, puis il repartit explorer la rive occidentale du lac. À pied, il se rendit ensuite jusqu'au lac Bangweulu (Zambie). Malheureusement, il s'aperçut trop tard que, bien malgré lui, il avait ouvert la route aux marchands d'esclaves. Lorsqu'il revint, en 1866, les missionnaires étaient partis et les trafiquants avaient décimé les populations des hautes terres, disloquant les clans et bouleversant à jamais les structures sociales de nombreuses ethnies.

En 1878 fut créée la société des Lacs africains. La Grande-Bretagne, après la réinstallation de nouvelles missions écossaises et l'arrivée de planteurs et de commerçants, s'intéressait de plus en plus à la région du Nyassaland, qui était susceptible de constituer, avec les deux Rhodésies, l'armature d'une Afrique centrale britannique. Dans cette optique, le Nyassaland fut déclaré protectorat en 1891. Les Britanniques, sous prétexte de lutter contre la traite des esclaves, évincèrent les Portugais, toujours à la recherche de nouvelles extensions. L'administration financière du pays fut confiée à la Compagnie britannique d'Afrique du Sud de Cecil Rhodes, soucieuse d'étendre ses activités au Nyassaland.

Quelques années plus tard, en 1904, le protectorat devint colonie de la Couronne et fut doté d'un gouverneur général. Après l'échec de la fédération des Rhodésies et du Nyassaland, mise en place en 1953 en dépit de la résistance farouche des Africains, le Dr. Hastings Banda s'imposa comme l'un des dirigeants les plus intransigeants de la résistance à la suprématie des Blancs. En 1961, il obtint une très forte majorité aux élections et, trois ans plus tard, le

Nyassaland, qui avait pris le nom de « Malawi », devint indépendant tout en restant membre du Commonwealth.

Yaos, Makondas et Ngonis

Les Yaos, qui vivent dans le Sud-Est, constituent l'ethnie la plus importante du Malawi. Contrairement à leurs voisins du Sud, ils n'élèvent pas de bétail et sont essentiellement agriculteurs. Cette région n'est pas leur pays d'origine : pour l'occuper, ils ont dû en déloger les Nyanjas, qui étaient installés sur les hauteurs, puis interdire l'accès des montagnes à d'autres émigrés, comme les Ngurus.

Les Yaos furent longtemps les plus forts. C'était l'époque faste où les Arabes les approvisionnaient en fusils et en poudre. Ils entretenaient avec eux un commerce prospère d'ivoire, de cire d'abeille, de tabac et surtout d'esclaves. Auparavant, ils s'étaient infiltrés avec beaucoup de subtilité dans le territoire des Nyanjas, en y envoyant d'abord quelques familles, puis en profitant des divisions internes de ceux qu'ils voulaient évincer pour consolider progressivement leurs positions.

Le déclin de la suprématie yao commença vers la fin du XIXᵉ siècle, avec la suppression du trafic des esclaves. Leur principale source de revenus étant tarie, les Yaos se retrouvèrent sur un pied d'égalité avec les autres populations.

L'organisation sociale des Yaos est originale. Bien qu'ayant l'apparence d'une monarchie, elle ne reconnaît en réalité ni roi ni chef suprême. Chaque membre du village est autonome, et le seul lien admis est la parenté matrilinéaire, c'est-à-dire découlant de la filiation maternelle.

Convertis à l'islam à l'époque du commerce avec les Arabes, les Yaos se sont contentés d'adapter aux croyances musulmanes leurs coutumes religieuses et leur magie. Leur économie, fondée sur la vente d'une partie de leurs récoltes, s'avère suffisamment rentable pour leur permettre de subsister.

Au nord, les Makondas sont réputés pour leur sens esthétique, qu'ils expriment en ornant leur visage et leur corps de tatouages savants et en sculptant de robustes statuettes d'une facture sévère. Depuis quelques années, leurs œuvres ont malheureusement tendance à s'adapter au goût des touristes et perdent une part de leur authenticité.

L'organisation sociale des Makondas est caractérisée par une autonomie du village

◀

Le raphia, fibre de palmier aux multiples utilisations, est l'un des produits d'une économie essentiellement agricole.
Phot. Hoa-Qui

poussée à l'extrême. Le chef, appelé *humu*, est élu par la communauté. Il est choisi pour ses qualités morales et intellectuelles. Le plus souvent habile diplomate et bon orateur, il doit aussi être doué de la pondération indispensable à un arbitre impartial.

Comme les Yaos, les Ngonis ne sont pas originaires du Malawi. Ils sont venus du Zoulouland vers 1820, chassés par le terrible Chaka. C'étaient pourtant de farouches guerriers, et leur marche vers le nord ne fut qu'une succession de massacres et de pillages. Leur armée était d'autant plus efficace qu'ils incorporaient de force les enfants des vaincus.

Les Ngonis avaient un système monarchique et aristocratique. Les représentants du roi se réunissaient pour entendre et discuter les décisions royales. Leurs pratiques religieuses et traditionnelles sont profondément imprégnées par leurs mœurs guerrières et pastorales : l'*ingoma*, leur danse spectaculaire, est la transposition d'un combat, et les mariages, par exemple, donnent lieu à un sacrifice de bœufs ou à un transfert de bétail. On peut seulement regretter qu'ils pratiquent l'élevage d'une façon aussi anarchique, car elle a contribué à la destruction de la forêt, de même que leur agriculture sommaire, qui épuise la terre, a souvent été nuisible en les obligeant à des déplacements fréquents ■   Philippe JAMAIN

▲
Ancienne capitale du Malawi, Zomba s'étale, à près de 1 000 m d'altitude, aux pieds de vertes montagnes.
Phot. Forge-Explorer

▶
Le lac Malawi renferme une grande variété de poissons, que l'on consomme frais ou séchés au soleil.
Phot. Hoa-Qui

le Malawi

3

le Mozambique

Un croissant de 2 000 km de long, traversé, dans sa pointe sud, par le tropique du Capricorne et ouvert sur l'océan Indien : tel se présente le Mozambique, un des pays africains les plus marqués par l'Europe et plus particulièrement par les Portugais, qui l'ont occupé pendant près de cinq siècles.

Les villes, surtout, gardent l'empreinte du désir plus ou moins conscient de reconstituer un peu de Portugal sur la terre africaine. Avec ses rues étroites, ses places ombragées et son bord de mer planté d'arbres, Maputo (l'ancienne Lourenço Marques) a un petit air lusitanien. Les terrasses de café où l'on se retrouve pour bavarder pourraient être celles de Lisbonne ou de Porto.

Mais, en dehors des centres, où étaient fixés la grande majorité des Portugais, peu enclins à pratiquer l'agriculture, l'Afrique reprend ses droits, laissant tout son caractère à la brousse. Dans les villages, la vie n'a pas changé, et les populations ont su préserver le fragile équilibre de leurs propres cultures.

La faune a moins souffert qu'ailleurs de la présence de l'homme, et elle a été prudemment protégée lorsqu'elle paraissait sérieusement menacée. Ce n'est pas par hasard que le Mozambique possède, avec Gorongosa, une des plus belles réserves de l'Afrique australe. Les espèces les plus nombreuses sont celles de la savane, principalement les herbivores dont le parc abrite plus de 400 variétés, notamment des antilopes, des plus grandes (l'éland du Cap, qui pèse 750 kg, le gnou, qui semble provenir du croisement d'un bison et d'un taureau...) à la plus petite (le minuscule dik-dik, qui pèse 4 kg).

De tous les animaux qui peuplent les savanes du Mozambique, le plus spectaculaire reste le lion : Gorongosa est le royaume du monarque à crinière brune, grand destructeur de troupeaux malgré ses quinze heures de sommeil quotidiennes.

Malheureusement, certaines espèces ont disparu, et d'autres sont devenues si rares qu'elles se limitent à quelques individus, comme le rhinocéros blanc, qui ne doit sa survie qu'à une réglementation très stricte.

De Vasco de Gama
à l'indépendance

Lorsque Vasco de Gama aborda la côte du Mozambique, en 1498, les Arabes y avaient depuis longtemps installé des comptoirs. Ils

▲

Plus gros, mais plus placide que le rhinocéros noir, le rhinocéros blanc se reconnaît moins à sa couleur claire, généralement dissimulée par une croûte de boue, qu'à sa tête très longue, terminée par une lèvre tronquée.
Phot. Bel-Vienne-Pitch

le Mozambique

1

avaient aménagé des ports comme Sofala, qui leur permettaient d'embarquer les esclaves qu'on leur amenait de l'intérieur, ainsi que l'ivoire et l'or des mines de Zimbabwe. Une fois implantés sur le littoral, les Portugais reprirent ce commerce à leur compte. Ils n'avaient pas, à cette époque, de véritables villes coloniales, le but de Vasco de Gama étant surtout de créer des escales sur la route des Indes. Ils construisirent une forteresse à Sofala en 1506, mais ne purent pénétrer dans l'intérieur du pays, en raison de la double opposition des marchands arabes et des populations africaines. C'est par le Zambèze qu'ils s'introduisirent plus tard dans le royaume du Monomotapa, à partir des ports fluviaux de Sena et de Tete.

Vers 1580, les premières missions s'installèrent dans ces deux villes, afin d'évangéliser les populations locales. Mais les Portugais étaient moins intéressés par les conversions que par l'or. Francesco Barreto partit de Sena avec un millier de volontaires pour aller chercher le précieux métal. Il échoua, mais, suivant son exemple, d'autres expéditions furent entreprises et parvinrent à atteindre les mines.

Cependant, la côte demeurait séparée de l'intérieur. Considérée comme une zone d'escales vers l'Inde portugaise, elle dépendait du lointain gouvernement de Goa, sur la côte de Malabar. Au début du XVIIᵉ siècle, le Portugal étant tombé sous la dépendance de l'Espagne, les Portugais du Mozambique, faute de navires et de colons éventuels, se virent obligés de resserrer leur dispositif et de concentrer leur activité dans la région de l'embouchure du Zambèze, leur seule voie d'accès vers l'inté-

rieur, où ils espéraient toujours trouver l'or du Monomotapa.

En 1750, les Portugais décidèrent de s'entendre avec les Arabes et signèrent avec eux un traité partageant les zones d'influence sur le littoral oriental de l'Afrique ; les Arabes restaient les seuls maîtres du marché des esclaves au nord du cap Delgado, tandis que les Portugais avaient les coudées franches au sud. Deux ans plus tard, le Mozambique, considéré comme une colonie portugaise, fut séparé administrativement de Goa.

En 1823 commença une longue période de conflits avec la Grande-Bretagne, celle-ci revendiquant la souveraineté sur le Mozambique sous prétexte que le territoire était à l'abandon. Vers l'intérieur, les tentatives de pénétration se heurtaient aux prétentions britanniques. Les poussées contradictoires des Portugais et de leurs adversaires expliquent le tracé tourmenté de la frontière avec le Zimbabwe-Rhodésie.

En 1850, une ligne de chemin de fer, construite par les Boers du Transvaal, relia Johannesburg au port de Lourenço Marques. L'impulsion fut telle que la petite bourgade devint une ville qui ne cessa plus de grandir, au point d'être choisie comme capitale en 1907.

En 1930, le Mozambique acquit le statut de province portugaise, et des liens étroits s'établirent avec la métropole. Jusque-là, l'administration du territoire était assurée par la Compagnie du Mozambique et celle du Nyassa. Un gouverneur général fut mis en place, et on découpa le pays en neuf districts. Désormais, plusieurs députés représenteraient le Mozambique à l'Assemblée nationale portugaise.

Le premier mouvement nationaliste prit naissance en 1960. Quatre ans plus tard débuta une guérilla qui ne devait prendre fin qu'avec l'indépendance. Les gouvernements de Salazar, puis de Caetano se virent contraints de maintenir un important contingent de troupes, qui greva lourdement l'économie portugaise.

Il fallut attendre le coup d'État de 1974, à Lisbonne, pour que, l'année suivante, le 25 juin, le Mozambique fût déclaré indépendant, après onze années de guerre de libération. Le président Samora Machel s'installa à Lourenço Marques, rebaptisée Maputo.

Il y a Bantou et Bantou

Si le Mozambique est essentiellement peuplé de Bantous, tous n'appartiennent pas à la même tribu. Dans ce véritable creuset humain se côtoient de nombreuses ethnies, surtout dans la vallée du Zambèze, qui a sans doute servi de voie de pénétration aux peuples venus de la région des hauts plateaux. Cette disparité est due au trafic des esclaves, qui, en dépeuplant l'intérieur du pays, a créé un vide appelant de nouvelles migrations.

Dans les régions méridionales, entre le Save et le Limpopo, vivent les Tsongas, les Tongas et les Tchopis. Au cours de leurs mouvements migratoires, ceux-ci se trouvèrent au contact

des Chonas, avec lesquels s'opéra une fusion culturelle. Leur économie est principalement fondée sur l'agriculture, l'élevage des bovins n'étant important que chez les Tsongas. En plus du riz et du maïs, ils cultivent la canne à sucre, le coton, le sisal, le manioc et surtout le cocotier.

Les villages sont composés d'un certain nombre de cases circulaires à toit conique, disposées autour d'une place au centre de laquelle un gros arbre dispense son ombre. Le chef du village est le plus ancien des ascendants. La filiation est patrilinéaire, c'est-à-dire que la transmission du nom et des biens se fait

par le père, contrairement aux sociétés établies dans le nord du pays, qui sont matrilinéaires et dans lesquelles le frère de la mère joue souvent un rôle plus important que le père. C'est chez lui, notamment, que résident les enfants en bas âge.

Les Tchopis se caractérisent par la place que la tradition musicale occupe dans leur culture. Ils fabriquent avec beaucoup d'adresse un xylophone, le *timbila*. Cet instrument, composé d'une série de lamelles de bois de tailles différentes, appliquées sur des calebasses formant caisses de résonance, constitue la base des orchestres. Les Tchopis en jouent avec une virtuosité et un sens artistique inégalés en Afrique. La musique, qui pourrait se suffire à elle-même tant elle est originale, accompagne des danses dont le nom, *ngono*, qui signifie « spectacle complet », désigne l'ensemble des participants, danseurs et musiciens.

La fabrication des *timbilas* est traditionnellement confiée à certaines familles, dépositaires des procédés secrets qui permettent d'obtenir des notes justes. Les musiciens prennent grand soin de leur instrument. Ils en jouent de préférence le matin, de bonne heure, et dans la soirée, le *timbila* ayant, d'après eux, un meilleur son lorsque la température ambiante n'est pas trop élevée. Chaque orchestre est dirigé par un chef qui est en même temps compositeur. Ses créations servent généralement d'accompagnement à une sorte de mélopée, dont les thèmes favoris sont la critique sociale ou politique, les commentaires personnels et les allusions plus ou moins explicites aux relations amoureuses du public.

La musique tchopi est appréciée non seulement dans tout le Mozambique, mais au-delà des frontières, notamment en Afrique du Sud, où les émigrés provisoires qui vont travailler dans les mines donnent des représentations très recherchées ■   Philippe JAMAIN

▲
L'île de Mozambique, aujourd'hui reliée au continent par un pont, fut occupée par les Portugais dès le début du XVIe s., et beaucoup de constructions anciennes se cachent sous ses palmiers.
Phot. Souricat-Explorer

▶
Emblème du Zimbabwe-Rhodésie, l'hippotrague noir, une grande antilope aux magnifiques cornes en cimeterre, hante surtout le parc national des Victoria Falls.
Phot. Valla-Pitch

la Réunion

Imaginez un gros caillou volcanique en plein océan Indien, à 800 km des côtes orientales de Madagascar : telle est, par 55⁰ de longitude Est et 21⁰ de latitude Sud, l'île de la Réunion, ancienne île Bourbon, française depuis trois siècles (1642). Avec l'île Maurice et deux îlots (Rodrigues et Cargados), elle forme un archipel que l'on appelait autrefois « Mascareignes », du nom du navigateur portugais, Pedro de Mascarenhas, qui le découvrit (probablement après les Arabes) au début du XVI° siècle.

La Réunion a la forme d'une ellipse presque parfaite, de 207 km de tour et de 2 510 km² de superficie. C'est un double massif montagneux. Au nord-ouest, les cirques de Mafate, de Cilaos et de Salazie, que domine le piton des Neiges (3 069 m), sont les restes d'un monumental cône volcanique, affaissé sur lui-même et creusé de ravins géants, débouchant sur de hautes plaines

qui rejoignent les étendues d'alluvions et de galets du littoral. Au sud-est, l'énorme furoncle du piton de la Fournaise (2 631 m) est un volcan dont l'activité régulière est jugée peu dangereuse. Entre les deux massifs, une région de plateaux baptisés « plaines » — plaine des Palmistes (1 100 m) à l'est, plaine des Cafres (1 600 m) au sud-ouest —, où court une route en lacet faisant communiquer la côte « au vent » avec la côte « sous le vent ».

Ce relief fait de la Réunion le paradis des microclimats : les alizés du nord-est apportent des pluies océanes sur le littoral « au vent », où il tombe jusqu'à 4 m d'eau par an, alors que la côte « sous le vent » connaît une vraie saison sèche de mai à octobre. En outre, l'altitude joue son rôle. En fait, il y a deux saisons : celle où il fait très beau, avec de la fraîcheur en montagne et quelques averses sur la région « au

vent », puis, de décembre à la fin de mars, celle où le temps est chaud et humide, avec des risques de dépression tropicale aux vents dévastateurs.

Jadis, l'île était entièrement boisée. De la forêt primitive, il reste quelques témoins : d'immenses fougères arborescentes sur le versant de la plaine des Palmistes, des bosquets de filaos, des sous-bois de tamarins dans les « hauts », avec leurs feuilles rappelant l'acacia sauvage. Plus de trois cents essences différentes font de l'ancienne île Bourbon une sorte de jardin botanique d'où les animaux venimeux ou dangereux pour l'homme auraient été bannis.

Ce paradis était un désert il n'y a pas quatre cents ans. Les hommes y arrivèrent, presque par hasard, sous le règne de Louis XIII. Le colonisateur français Jacques Pronis redécouvrit l'île en 1638, puis, devenu gouverneur de

▲
Autrefois couverte de forêts, l'île de la Réunion est aujourd'hui si déboisée que les hautes silhouettes des cocotiers plantés en bordure de la route semblent bien solitaires.
Phot. Bossu-Explorer

la Réunion

1

Madagascar, en prit officiellement possession au nom du roi de France en 1642. En 1649, le territoire reçut le nom d'«île Bourbon».

Il fallut le hasard d'une révolte de colons à Fort-Dauphin (Madagascar), en 1654, pour que douze rebelles fussent déportés sur l'île inhabitée et abandonnés à leur sort dans une grotte qu'on voit encore près de Saint-Paul. Au bout de quatre ans, en 1658, un navire retrouva les condamnés en parfaite santé. Le gouverneur de Fort-Dauphin décida de peupler une île aussi salubre. En 1663, deux colons partirent s'y installer avec des esclaves malgaches. Cette petite poignée de défricheurs reçut du renfort quand la Compagnie des Indes orientales obtint de Colbert, en 1664, la concession de l'île, avec mission d'administrer cette escale sur la route des Indes. Commandés par Étienne Regnault, les nouveaux arrivants constituèrent la base du futur peuplement de l'île.

Du café et du sucre

La première chance de l'île Bourbon fut la vogue du café. L'impulsion fut donnée par la deuxième Compagnie des Indes, créée par Law en 1719. Il en résulta une certaine prospérité, grâce au développement de la culture nouvelle du caféier, encouragée, à partir de 1735, par François Mahé de La Bourdonnais, gouverneur général des Mascareignes. En 1767, le roi Louis XV mit fin au monopole (et aux nombreux abus) de la Compagnie française des Indes, rattacha directement l'île Bourbon à la

◄
La petite station de l'Étang-Salé-les-Bains fait bénéficier les vacanciers du climat favorisé de la côte «sous le vent».
Phot. A. Lepage

▲
Île volcanique, la Réunion possède un relief très tourmenté, où de hauts plateaux crevassés, baptisés «plaines», relient des cirques aux parois abruptes.
Phot. Luzuy-Rapho

Couronne et y nomma, comme administrateur, l'intendant Pierre Poivre, qui introduisit la culture des épices. Cette période de prospérité se prolongea jusqu'à la Révolution.

Sous la Convention, en 1793, l'île Bourbon fut nommée « Réunion » en hommage à la fraternisation des fédérés Marseillais et des gardes nationaux, qui avait provoqué la chute de la royauté le 10 août 1792, lors de la prise des Tuileries. Années mouvementées. Sous Napoléon Iᵉʳ, la Réunion s'appela « île Bonaparte ». Quand les Anglais s'en emparèrent, en 1810, elle reprit son nom de « Bourbon » et le garda sous la Restauration, lorsqu'elle fut rendue à la France en 1815. Elle ne redevint la Réunion que sous la IIᵉ République, après la révolution de 1848, date à laquelle entra enfin en vigueur l'abolition de l'esclavage décrétée par les Conventionnels en 1794.

Lorsque le café de l'île Bourbon fut définitivement condamné par la concurrence antillaise et par la maladie qui limitait sa production, la deuxième chance de l'île fut le développement de la canne à sucre. La France avait perdu l'île Maurice en 1815, Saint-Domingue, aux Antilles, était entre les mains des Haïtiens : Bourbon devint l'île du sucre. Elle l'est encore. Mais peut-on toujours parler de chance ?

La canne à sucre, en effet, reste aujourd'hui la principale ressource de l'île, dans une quasi-

▶

Ceinturée de falaises, couverte d'une épaisse couche de poussière jaillie des entrailles de la terre, la plaine des Sables présente un aspect désolé qui fait songer à un paysage lunaire.
Phot. Serraillier-Rapho

monoculture. Les champs de cannes couvrent près des deux tiers de la surface cultivable, et le sucre représente 80 p. 100 des exportations. Les autres cultures (en dehors des produits vivriers) sont essentiellement la vanille sur la côte « au vent », le thé, le tabac, le maïs et les plantes à parfum, quoique les espoirs fondés sur le géranium dans la plaine des Cafres et sur le vétiver au sud de l'île se soient durement heurtés à la concurrence égyptienne et à l'utilisation, de plus en plus répandue, des fixateurs synthétiques. Pas de ressources minières.

Un manteau d'Arlequin

Depuis le 19 mars 1946, la Réunion est un département français, dont la préfecture est Saint-Denis, au nord de l'île. C'est une charmante petite ville de bord de mer. Son musée Léon-Dierx réserve une surprise : il abrite les collections d'un illustre Réunionnais, le marchand de tableaux Ambroise Vollard, qui a laissé à son île natale des œuvres de Renoir, Sisley, Marquet, Monet, Cézanne, Maillol, etc. En dehors des sous-préfectures, Saint-Pierre, Saint-Paul et Saint-Benoît, la Réunion compte plusieurs villes : Saint-Louis, Le Tampon, etc. Saint-Denis rassemble près du cinquième de la population de l'île, c'est-à-dire près de 100 000 personnes sur les 490 000 du dernier recensement.

La population réunionnaise est un vrai manteau d'Arlequin. Elle est composée de descendants des premiers colons (« Petits Blancs »), surtout dans les « hauts » de l'île, où ils vivent difficilement ; d'une bourgeoisie créole, depuis longtemps fixée sur les terres à sucre ; de « Z'Oreilles » (surnom des métropolitains) ; d'Indiens Tamouls (« Malabars »), arrivés, au XIXᵉ siècle, des régions de Madras et de Calcutta ; d'Indiens musulmans (souvent nommés « Z'Arabes ») ; de familles chinoises, contrôlant le commerce de l'épicerie. Une des caractéristiques de cet assemblage disparate est son extrême jeunesse : plus de 45 p. 100 des Réunionnais ont moins de vingt ans.

Aujourd'hui, la Réunion se tourne résolument vers le tourisme. Son charme sévère est d'une beauté sauvage : il faut plusieurs jours pour découvrir l'âme de cette terre plus secrète qu'il n'y paraît, escalader à travers les sous-bois les sentiers des îlets (hameaux), écouter

Bosquets de filaos où chante le vent marin. Rectangles éblouissants des salines. Rochers aux oiseaux, que le «paille-en-queue» survole sans un battement d'aile près d'Étang-Salé. Longue traversée de la rivière de la Plaine, où les crues ont deux fois emporté le pont du chemin de fer, près de Saint-Louis. Monumentale coulée de lave, pailletée et déjà mangée de mousse frisée, descendue du piton de la Fournaise parmi les bruyères, en épargnant, à plusieurs reprises, une statue de la Vierge constellée d'ex-voto et protégée par un parasol, non loin du bourg de Bois-Blanc. Pont suspendu, noir et sévère, sur la rivière de l'Est (au XIXᵉ siècle, il était le plus long du monde). Et puis l'église baroque de Sainte-Anne, ouvragée comme un calvaire breton; c'est à la tombée du jour qu'elle est le plus pittoresque, lorsque des milliers d'étourneaux l'emplissent de cris assourdissants.

La découverte de l'intérieur de l'île demande plusieurs jours. Il faut monter au cirque de Cilaos par la route qui se faufile au milieu des gorges, dans un décor rappelant les vieilles estampes chinoises, jusqu'à la petite station thermale insolite, où les femmes brodent au bord du chemin. Il faut grimper dans la verdure, parmi les cascades (la plus connue est le «Voile de la mariée»), jusqu'au cirque de Salazie. Il faut se hisser jusqu'au cirque de Mafate, le plus impressionnant par la solitude de son chaos vertigineux. Il faut approcher le volcan du piton de la Fournaise par la route forestière, au-delà du Tampon et de La Plaine-des-Cafres. Il faut faire l'ascension de la Roche-Écrite à partir du Brûlé, pour y embrasser un panorama vertigineux sur les cirques et leurs contreforts que cerne l'océan... La Réunion est un monde dont on commence seulement à découvrir la somptueuse beauté ■ Pierre MACAIGNE

les cascades, s'étonner de la rencontre insolite d'un petit temple «malabar» près des racines-lianes d'un banian géant.

Une petite journée suffit pour faire, sans se presser, le tour de l'île en voiture. On quitte Saint-Denis par la route creusée dans la falaise (ouverte en 1963, elle a exigé quatre ans de travaux), on traverse le bourg de La Possession (en souvenir de Pronis) et on franchit le pont de la rivière des Galets, le plus grand de l'île (il a résisté à une crue de 1 000 m³ par seconde en 1952), pour arriver à Saint-Paul, ancienne capitale où naquit Leconte de Lisle. Plus loin, au-delà du cap La Houssaye, commence le court littoral des plages de sable corallien, notamment Boucan-Canot (un «boucan» était un refuge de chasse) et surtout Saint-Gilles-les-Bains, au bord d'un lagon : c'est le «quartier chic» de la Réunion, une station balnéaire avec villas de week-end et petit port de plaisance.

Le paysage change sans cesse. Au-delà du village de pêcheurs de Saint-Leu, dont la place principale a gardé le style de la Compagnie des Indes, le «trou du Souffleur» crache en grondant des jets d'écume parmi les rochers escarpés. Alternance de sable noir et de sable blanc.

▲
Le piton de la Fournaise, seul volcan de la Réunion encore en activité, vomit périodiquement des flots de lave, mais la population y est habituée et ne s'en émeut guère. (Éruption de mars 1976.)
Phot. Vulcain-Explorer

▲
La petite rivière Saint-Denis, qui arrose la capitale de la Réunion, fait le bonheur des lavandières.
Phot. Nau-Gamma

l'île Maurice

Grand bourlingueur des mers australes, le romancier britannique Joseph Conrad, qui savait de quoi il parlait, appelait l'île Maurice « la perle sucrée de l'océan Indien ».

Ancrée à près de 900 km au large des côtes orientales de Madagascar, l'île Maurice — autrefois île de France — fut longtemps la sœur de l'île Bourbon (la Réunion), avec laquelle elle formait l'archipel des Mascareignes. Pourtant, elles ne se ressemblent guère, si ce n'est par la nature du sol volcanique (plus ancien à Maurice, qui ne possède pas de volcan en activité), leur forme elliptique et une superficie sensiblement égale (Maurice est un petit peu moins étendue). La comparaison s'arrête là. L'ancienne île de France est une beauté marine, frangée de lagons coralliens où le vert émeraude le dispute au bleu d'outremer et à l'indigo le long d'innombrables plages blondes.

Le relief de l'île est à la fois écrasé et escarpé. Des pitons, qui ne dépassent guère 800 m, encadrent comme des dents un grand plateau central de 600 m d'altitude environ, doucement incliné vers le nord. Le point culminant est le piton de la Rivière-Noire (827 m), dans la chaîne et les gorges du même nom qui, du sud-ouest, se prolongent vers le sud par la Montagne-Savane. À l'ouest se découpe la pyramide noire du Rempart (770 m), tandis que, au nord-ouest, le Pieter Both (823 m) et le Pouce (812 m) dominent hardiment la chaîne de Moka. À l'est et au sud-est, enfin, les hautes collines des Montagnes-Bambous cernent, avec la chaîne du Grand-Port et la montagne du Lion (sa forme évoque un lion couché), la ville de Mahébourg et la baie de Grand-Port, où les escadres française et anglaise se livrèrent, sous l'Empire, une terrible bataille de trois

jours, la seule victoire navale dont le nom soit aujourd'hui gravé sous l'Arc de Triomphe.

Naturellement, ce relief provoque une différence de climat assez tranchée entre les plages du littoral et les champs de cannes du plateau. On distingue deux saisons : l'une, chaude et humide, de novembre à avril, avec des cyclones en début d'année ; l'autre, plus fraîche, de mai à octobre. Sur le plateau, au début d'août, la température oscille entre 13 et 19 ^{0}C dans la journée, alors qu'elle s'élève jusqu'à 25 ^{0}C en février. Sur la côte, il faut compter, en moyenne, de 5 à 8 degrés supplémentaires, quelle que soit la saison.

L'île Maurice doit son nom aux Hollandais, qui l'occupèrent le 19 septembre 1598 et la nommèrent « Mauritius » en l'honneur de leur prince, Maurice de Nassau. L'île était inhabitée. Elle avait été visitée au Xe siècle par les

◀

Des pitons escarpés, aux allures de montagnes malgré leur faible altitude, entourent le tapis vert des plantations de canne à sucre, principale richesse de l'île Maurice.
Phot. Pavard-Fotogram

▲

Quelques îlots blottis au ras de l'eau posent des touffes de végétation sur les flots bleus de la baie de Mahébourg, sur la côte est.
Phot. A. Lepage

Arabes, qui la nommaient *Dinarobin*. Le Portugais Pedro de Mascarenhas lui avait attaché son nom lorsqu'il y avait fait escale vers 1507, mais elle figurait déjà sur la mappemonde de Can-

tino, au début du XVIᵉ siècle, sous l'appellation « île de l'Est ». Avant l'arrivée des Hollandais, elle avait été nommée *Cirne* (Cygne), sans doute par allusion au gros oiseau blanc qui la peuplait, le dodo.

La colonisation hollandaise ne fut effective qu'à partir de 1638, et elle se solda par un échec. Les Hollandais préférèrent le Cap et quittèrent Mauritius en n'y laissant que les petits cerfs de Java et la canne à sucre qu'ils avaient introduits, le dodo ayant déjà disparu, victime d'une chasse intensive.

En 1715, le capitaine malouin Dufresne, qui transportait les premiers caféiers à l'île Bourbon pour le compte de la Compagnie des Indes, prit possession, au nom du roi, de l'île à l'abandon et la baptisa « île de France ».

Les premiers colons français, venus de l'île Bourbon, s'installèrent six ans plus tard, mais c'est seulement à partir de 1735, après l'arrivée de Mahé de La Bourdonnais, gouverneur des Mascareignes, qui fonda Port-Louis, que l'île se développa et prit son visage actuel.

Lorsque Louis XV racheta le privilège de la Compagnie des Indes, l'importance de l'île de France comme base maritime s'accrût. Port-Louis devint « l'étoile et la clef de l'océan Indien », tandis que le nom de l'île était associé à celui des grands navigateurs (Suffren, Kerguelen), des explorateurs (Bougainville, La Pérouse), des corsaires malouins comme Surcouf. C'était la terre à la mode, tant à la fin de l'Ancien Régime que sous la Révolution et l'Empire. Bernardin de Saint-Pierre, qui passa deux ans dans l'île comme ingénieur, s'inspira du naufrage du *Saint-Géran* sur les récifs de l'île d'Ambre pour écrire son célèbre roman *Paul et Virginie* (1787).

Quatre mois après l'échec de l'escadre anglaise devant Grand-Port, au mois d'août 1810, les Britanniques (déjà maîtres des îles Bourbon et Rodrigues) équipèrent une flotte de 70 navires, transportant 10 000 hommes qui débarquèrent au cap Malheureux, à la pointe nord de l'île. Ce fut la fin de la souveraineté française. Si en 1814, au traité de Paris, l'Angleterre accepta de rendre l'île Bourbon, elle conserva les Seychelles, Rodrigues, les Chagos et l'île de France, qui reprit alors son nom hollandais de Mauritius (ou Maurice).

Devenue colonie de la Couronne britannique, Mauritius n'en continua pas moins à parler le français-créole. Si la langue officielle était l'anglais, le Code Napoléon et l'organisation administrative restaient en vigueur, ainsi que les anciennes traditions. Certes, l'île vit décliner son activité maritime, mais son économie connut un essor spectaculaire avec la canne à sucre, provoquant un important afflux de main-d'œuvre en provenance du Mozambique et de Madagascar.

Après l'abolition de l'esclavage (1835), les colons engagèrent des Indiens, qui firent souche ; ils représentent actuellement plus des deux tiers de la population et la quasi-totalité des professions libérales. Vers la fin du XIXᵉ siècle, l'économie de l'île connut un déclin dû à la crise du sucre (97 p. 100 des exportations), au percement du canal de Suez et à de nombreux malheurs (épidémies, cyclones, incendies, etc.).

Depuis le 12 mars 1968, l'île Maurice et les 850 000 Mauriciens (contre 420 000 à la fin de la Seconde Guerre mondiale) sont indépendants à l'intérieur du Commonwealth.

La douceur d'un jardin

Si la monoculture de la canne (légèrement épaulée par le tabac et le thé) domine largement l'économie mauricienne, le tourisme prend néanmoins, d'année en année, une place de plus en plus importante.

L'île Maurice a la douceur d'un jardin au bord de l'eau. Port-Louis, la capitale, que Suffren surnommait « la Cythère de la mer des Indes », est un mélange d'Orient et de vie à l'anglaise, teintée de charme créole. Aux environs de Port-Louis, il ne faut pas manquer le panorama que l'on découvre du sommet de la montagne du Pouce (d'un accès plus facile que le Pieter Both) : comme dans la description de Bernardin de Saint-Pierre, la vue s'étend très loin, jusqu'à l'horizon du cap Malheureux et de ses îlots (Coin-de-Mire, île aux Serpents, île Plate, île Ronde, etc.), en donnant, disait Darwin, « une impression de parfaite élégance ».

Pour se rendre à Curepipe, ville résidentielle du plateau, l'ancienne « Voie royale » Port-Louis-Mahébourg est plus pittoresque que l'autoroute. Elle passe notamment à Beau-Bassin, dont le jardin domine un ravin où sautent les cascades, traverse Rose Hill la bien nommée, dans son décor de collines pourpres, et Quatres-Bornes, parmi les champs de théiers.

▲
Au XVIIIᵉ siècle, les planteurs enrichis par le commerce du sucre ont édifié de très belles demeures à colonnades, baptisées « châteaux » et invariablement dotées de vastes vérandas appelées « varangues ».
Phot. A. Lepage

Club Méditerranée a installé un complexe), Trou-aux-Biches, une des plus belles plages de l'île, Baie-du-Cap, ancien refuge de pirates à l'ombre de son rocher noir, la baie du Jacottet, où Bernardin de Saint-Pierre rêvait de terminer sa vie en compagnie de la belle et inaccessible Mme Poivre...

Faire un choix entre tant de richesses est assurément difficile. On ne peut qu'hésiter entre le charme très doux d'une ville comme Mahébourg et la somptuosité d'un « pays parfumé que le soleil caresse » (Beaudelaire). Une certitude : on ne peut pas quitter l'île Maurice sans visiter le Jardin royal de Pamplemousses. Il est connu dans le monde entier. C'est une admirable collection de plantes exotiques, de palmiers centenaires, de mares où des nénuphars géants étalent leurs immenses soucoupes vertes sous des fleurs qui changent de teinte le soir pour mourir. Mais c'est aussi, c'est surtout le souvenir de Paul et Virginie, les amants irréels qui, dans le vallon de Pamplemousses, continuent pour l'éternité de parler d'amour... ∎ Pierre MACAIGNE

▲
Drapées dans leur sari, *trois élégantes mauriciennes se promènent parmi les champs de canne à sucre que leurs ancêtres indiens vinrent cultiver après l'abolition de l'esclavage.*
Phot. Rubira-Explorer

Les promenades favorites des habitants de Curepipe sont un petit lac, le Trou-aux-Cerfs, serti dans un cratère éteint, d'où la vue embrasse les montagnes et la mer, la mare aux Vacoas, perdue parmi des bois de filaos encore peuplés de biches, et le parc du Réduit, dont les vieux arbres encadrent une ancienne demeure coloniale : de son promontoire (le « Bout du monde »), suspendu entre deux ravins, on découvre l'un des plus beaux paysages de l'île.

Car les vastes panoramas (il ne faut pas manquer celui de Plaine-Champagne, au cœur du plateau) sont un des charmes de Mauritius, avec les merveilleuses plages de sable dont les noms ont un poétique parfum du passé : Poudre-d'Or, Trou-d'Eau-douce, Flic-en-Flac, Grand-Gaube, Baie-Bleue, la Pomponnette, Tamarin sous ses filaos et ses tamariniers, Case-Noyale et son jardin d'oiseaux rares, Grande-Baie, Belle-Mare, la Pointe-aux-Canonniers (où le

▲
Les nénuphars géants (Victoria regia) *sont les grandes vedettes du Jardin royal de Pamplemousses, dont les bosquets servirent de cadre aux chastes et imaginaires amours de Paul et Virginie.*
Phot. A. Lepage

▶
Les vents violents qui soufflent fréquemment sur la côte est n'empêchent pas les pêcheurs des environs de Mahébourg d'affronter l'océan sur leurs fragiles embarcations.
Phot. A. Lepage

les Seychelles

Il n'y a pas si longtemps, c'était le bout du monde : une poussière d'îles et d'îlots éparpillés dans l'océan Indien, juste sous l'équateur, mais avec la fraîcheur de la mer, à 1 100 km au nord-est de Madagascar et à 1 500 km au nord de l'île Maurice...

Pas question de citer toutes les îles, car elles sont 93, réparties en plusieurs groupes d'archipels : le Seychelles Bank proprement dit, puis les Amirantes (où l'île Desroches fait bande à part), les Farquhar et, à 300 km des Comores, l'archipel des Aldabra, avec l'atoll de Cosmoledo où le commandant Cousteau tourna une partie du *Monde du silence*. Au sud des Maldives, l'archipel corallien des Chagos n'a en commun avec les Seychelles que d'être situé dans l'immensité de l'océan Indien.

Géologiquement, le Seychelles Bank (32 îles) offre une particularité : il est granitique — à

l'exception de Bird Island — et compte parmi les plus anciennes terres du globe, alors que les autres groupes sont formés d'atolls coralliens. Les îles granitiques ont un relief prononcé, bien qu'usé par l'érosion. Elles reçoivent davantage de pluies nocturnes à l'époque de la mousson du nord-ouest, de décembre à mars ; en revanche, elles sont en dehors de la zone des cyclones.

La plus grande île du Seychelles Bank est Mahé (117 km^2), d'abord nommée « Abondance », qu'entourent une douzaine de satellites : îles Thérèse, Sainte-Anne, Cerf, Anonyme, Longue, Ronde, du Nord, des Trois-Dames, Conception, aux Vaches et, un peu à l'écart, la vaste table de Silhouette.

La deuxième île importante du groupe est Praslin (moins de 50 km^2), au nord-est de Mahé. Praslin possède également sa couronne : La

Digue, Cousin, Cousine, Curieuse, les Sœurs, les Mamelles, Chauve-Souris, Félicité et, à une petite distance, Frégate. Tout au nord, Bird Island est un atoll d'un kilomètre sur deux, où, de mai à octobre, nichent plusieurs millions d'oiseaux de mer.

La plupart des îles sont mentionnées sur les cartes arabes du XIVe siècle et figurent sur les portulans portugais. C'est néanmoins Vasco de Gama qui en fut le « découvreur » officiel, aux alentours de l'an 1500. Pendant plus de deux siècles, ce dédale d'îlots, où il est facile (quand on connaît les fonds) de surgir à l'improviste et de disparaître aussi vite, fut un repaire idéal pour les pirates. On raconte que le célèbre La Buse y cacha son trésor.

Dans les premières années de son gouvernement des Mascareignes, Mahé de La Bourdonnais envoya son lieutenant Lazare Picault

◄

Chaos de rochers égayé de palmiers, sans port ni aérodrome, La Digue est peut-être la plus belle et certainement la plus sauvage des îles du Seychelles Bank.
Phot. S. Held

▲

L'île Praslin est entourée d'un collier d'îlots rocheux dont les criques tapissées de sable blond offrent de nombreux buts d'excursion.
Phot. Bouillot-Marco Polo

reconnaître l'archipel en deux voyages (1742-1744). Picault nomma les îles «La Bourdonnais». Le 19 novembre 1742, il aborda une terre qu'il appela «Abondance» ; il y revint en mai 1744, et la rebaptisa «Mahé».

Douze ans plus tard, la Compagnie des Indes s'intéressa aux îles. Le capitaine Corneille Morphey fut chargé de prendre possession, au nom du roi, de Mahé et de son archipel, auquel fut donné le nom du contrôleur des Finances, Moreau de Séchelles.

C'est sous le gouvernement du chevalier Quéau de Quincy (ou Quinssy) que les Seychelles (nouvelle orthographe «franglaise» due au chevalier diplomate), essentiellement terres d'exil, gardées par une cinquantaine de soldats, commencèrent d'évoluer dans une mouvance anglo-française. Quincy capitulait dès qu'une escadre britannique importante menaçait de débarquer, quitte à ressortir le drapeau tricolore une fois le danger passé. Après les traités de Paris et de Vienne, les Seychelles devinrent une possession anglaise.

Colonie de la Couronne depuis 1903 (l'archipel comptait alors 20 000 habitants), le paradis seychellois a évolué lentement vers l'autonomie, puis l'indépendance (1976). Il connaît depuis un large développement touristique.

Des paradis terrestres

Pour leurs premiers visiteurs, les Seychelles et leurs parfums de vanille et de cannelle évoquaient l'île de Robinson Crusoé. Les vertes collines de Mahé dépaysent déjà le voyageur, avec leurs bungalows et leurs petites maisons de pêcheurs. Criques de sable blanc bordées de rochers, eaux claires peuplées de cortèges de poissons... Victoria, la capitale, est vite vue, avec sa Clock Tower, réplique miniaturisée de Big Ben, et son parc de la Résidence, où vivent des tortues géantes.

En dehors de Conception, qui est inhabitée, la plupart des îles entourant Mahé sont des buts d'excursion. On découvre ainsi l'immense plage solitaire de Thérèse, les fabuleux fonds marins des îles Ronde, Moyenne et Longue, en face des pentes boisées de Sainte-Anne. La plus importante est Silhouette (16 km²), qui doit son

nom à un autre contrôleur des Finances de Louis XV, Étienne de Silhouette. C'est une île montagneuse au somptueux décor de cascades et de cocotiers penchés.

L'île Praslin est la plus étrange du Seychelles Bank. Jadis «île des Palmes», elle fut nommée «Praslin» en 1768 en l'honneur du ministre Praslin, cousin de Choiseul. La grande attraction de l'île est la vallée de Mai, où l'on s'enfonce dans une forêt humide et chaude

◄

Seule île corallienne du Seychelles Bank, Bird Island est un refuge pour les oiseaux de mer et notamment les sternes, qui s'y réunissent par millions à l'époque de la ponte.
Phot. M. Pelletier

comme une serre, sous un enchevêtrement de feuilles, d'orchidées et de lianes. C'est dans le parfum des mousses et des fleurs géantes de la vallée de Mai que pousse le célèbre (et rare) «coco de mer», dont le fruit aux formes suggestives (on l'appelle «coco-fesse») a été recherché, dès l'Antiquité, pour de prétendues vertus aphrodisiaques.

Non loin de Praslin, l'île de La Digue garde également son aspect d'autrefois. Pas de voi-

ture : des chars à bœufs et quelques bicyclettes en font une terre heureuse et simple. Les amateurs de dépaysement aiment La Digue, tout comme Curieuse, paradis des tortues de mer et de l'exploration sous-marine, et comme les 200 ha montagneux de Frégate, dont les bois sont peuplés d'oiseaux de mer. Cousin et Cousine sont des réserves naturelles : on peut néanmoins visiter Cousin, sous la conduite du gardien-ornithologue, à condition de ne pas

s'écarter du sentier. Cousin est le domaine du goéland blanc et du paille-en-queue.

Les autres groupes d'archipels seychelliens sont d'accès plus difficile. Seuls quelques voiliers et les petits bateaux transportant le coprah relient les Amirantes, les Farquhar, les Aldabra et Desroches au reste du monde moderne.

Les Seychelles, un dernier Éden ? Sûrement. Mais pour combien de temps encore ? ■

Pierre MACAIGNE

▲

Mahé, la plus grande et la plus peuplée des îles granitiques de l'archipel, est bordée de plages et de baies pittoresques dont les eaux limpides offrent aux plongeurs sous-marins le spectacle fascinant d'une faune multicolore.
Phot. S. Held

▶

Hier encore paradis perdu, les Seychelles sont maintenant à quelques heures de vol du monde entier, mais les visiteurs, malgré leur nombre, ne sauraient investir tous les havres de paix que recèlent les îles.
Phot. Friedel-Rapho

les Comores

Comme les trois mousquetaires, les Comores sont quatre. Quatre îles en sentinelle au nord du canal de Mozambique, dont elles contrôlent l'entrée, à mi-chemin entre l'Afrique et Madagascar. Leurs noms ? Njazidja (ex-Grande Comore), la plus peuplée et de loin la plus importante par la superficie, puisqu'elle est plus vaste que les trois autres réunies ; Nzwani (ex-Anjouan), celle dont la population est la plus dense ; Mayotte, dont la rade offre un abri sûr ; et enfin Mwali (ex-Mohéli), la plus petite (290 km²). Un archipel d'une superficie totale de 2 171 km², compris entre 11⁰ et 13⁰ de latitude Sud, et entre 43⁰ et 45⁰ de longitude Est.

Ces quatre îles sont d'origine volcanique. À Njazidja, le Karthala, dont l'immense cratère (3 km de diamètre) se perd dans les nuages à près de 2 400 m d'altitude, est un des plus grands volcans en activité du monde.

Les Arabes avaient donné le nom de *Komr* (« îles de la Lune ») à l'archipel bien avant sa « découverte » par les Portugais, au début du XVIᵉ siècle. Selon la tradition, les premiers habitants seraient venus des côtes d'Afrique. Ils furent islamisés très tôt, vraisemblablement au XIIᵉ siècle, par des réfugiés venus de Perse (les Chiraziens) et des Arabes du Hedjaz.

Une certitude : l'archipel se trouvait sur l'ancienne route maritime des Indes, et, pendant deux cents ans, au XVIIᵉ et au XVIIIᵉ siècle, Anjouan, dont le sultan entretenait les meilleures relations avec les princes indiens, fut un mouillage des navires britanniques.

La France s'est intéressée aux Comores au XIXᵉ siècle. À cette époque, les Malgaches faisaient la loi à Mohéli et à Mayotte. C'est le petit archipel mahorais qui fut cédé le premier aux Français, en 1841, par le Sakalave Andriant-

soly, et le capitaine Passot en prit possession au nom de l'amiral de Hell, gouverneur de l'île Bourbon (l'actuelle Réunion).

De Mayotte, l'influence française s'étendit progressivement aux autres îles, et le protectorat sur Mohéli, Anjouan et la Grande Comore fut proclamé en 1886. Vingt-six ans plus tard, devenues une colonie, les Comores furent placées sous l'autorité du gouverneur de Madagascar.

L'époque contemporaine a vu l'évolution de l'archipel vers l'indépendance. Séparé de Madagascar en 1947, il a été doté d'une complète autonomie interne en 1961. Le siège de l'administration fut alors transféré de Dzaoudzi (Mayotte) à Moroni (Njazidja), et Saïd Mohamed Cheikh, ancien député à l'Assemblée nationale, fut élu président du gouvernement. Trois ans après sa mort, en 1973, une déclaration

les Comores

▲
Les éruptions répétées du Karthala, l'un des plus grands volcans du monde encore en activité, ont frangé le rivage de Njazidja (ex-Grande Comore) d'une croûte de lave noire.
Phot. Buthaud-Rush

▶
Un badigeon de chaux de corail donne un air pimpant à la Grande Mosquée de Moroni, mais les bâtiments voisins, moins bien entretenus, laissent apparaître la teinte sombre de la pierre de lave avec laquelle est bâtie toute la capitale.
Phot. Forge-Explorer

commune franco-comorienne proclama la vocation de l'archipel à l'indépendance.

La consultation fut fixée au 22 décembre 1974. Les partisans de l'indépendance l'emportèrent à une écrasante majorité, sauf à Mayotte. En 1975, l'Assemblé des Comores proclama unilatéralement une indépendance que le Parlement français entérina, excepté en ce qui concerne Mayotte, où un référendum fut organisé en 1976. Le résultat de ce référendum fut favorable (99,4 p. 100) au maintien de Mayotte dans la République française.

Après une période de troubles et depuis le coup d'État de mai 1978, la République comorienne est administrée par un directoire politico-militaire.

Quatre Comores

Les îles ne se ressemblent guère, si ce n'est par le climat, puisqu'elles sont toutes les quatre soumises aux pluies chaudes et aux cyclones de la mousson entre décembre et mars. Njazidja, l'ancienne Grande Comore, est une bande de terre coudée comme un boomerang, d'une soixantaine de kilomètres de long sur vingt de large. En tout, 1 148 km², sans un seul cours d'eau. Les 130 000 habitants sont presque tous concentrés le long des plages éclatantes de blancheur, sur un littoral souvent déchiqueté par les laves, ou à flanc de coteau, au-dessous de 600 m, où ils cultivent les plantes à parfum (ilang-ilang), la vanille, la cannelle et le coprah, ressources principales de l'île.

La capitale est Moroni, dont la Grande Mosquée, crépie à la chaux de corail comme la plupart des maisons, domine le bord de mer.

Mais Njazidja cache d'autres beautés, tels la source d'eau douce qui jaillit de la noirceur des laves près du palais antique d'Iconi, la plus vieille ville de l'île, et les remparts de la citadelle d'Itsandra, ancienne capitale et nécropole royale. Du « trou du Prophète » et de Mitsamiouli, petit bourg de pêche où est installé le Centre nautique touristique de Maloudja, au nord de l'île, on longe la côte orientale, dans le décor sévère d'une haute chaîne de montagnes dentelées, jusqu'à Foumbouni, ancien comptoir

de la pointe sud, avec sa vieille porte et sa fontaine, avant de revenir à l'ouest par les cocoteraies de Dembeni et de Mitsoudjé, adossées aux pentes du terrible Karthala nimbé de nuages.

Au sud de Njazidja, la petite île de Mwali n'a guère plus de 10 000 habitants. C'est une île verte, qui fut longtemps vassale de Nzwani. L'eau n'y manque pas. Au milieu des cocotiers et des cultures, la ville principale, Fomboni, garde l'aspect d'un gros bourg. La seule grande route longe le littoral nord avant de couper l'île à la hauteur de Wanani et du plateau de Djandro pour rejoindre la côte sud dans une végétation tropicale exubérante, en direction d'un site admirable de solitude : la rade de Nioumachoua, avec ses îlots perdus et son ambiance de commencement du monde. Comme l'ancienne Perse, Mwali abrite encore de blancs tombeaux chiraziens aux allures de pyramides.

Sensiblement sur le même parallèle, mais plus à l'est, Nzwani, l'ancienne Anjouan, tient à sa réputation de « perle des Comores ». C'est un polyèdre volcanique, dont la pointe couverte de forêts (le mont N'Tingui) culmine à 1 595 m. Nzwani est très peuplée : 100 000 habitants environ pour une superficie de 359 km², la plus forte densité de l'archipel (plus du double de Njazidja). Une partie de cette population (Makoas) est originaire de la côte africaine du Mozambique, mais bon nombre d'habitants des « hauts » seraient des Walatsas d'origine mélano-indonésienne, antérieurs aux invasions arabes.

La principale agglomération de l'île est Mutsamudu, au nord. Une citadelle la domine, avec de vieux canons de bronze datant du XVIIIᵉ siècle, le temps où le sultan Abdallah Iᵉʳ était l'allié de l'Angleterre. Mutsamudu est la ville la plus pittoresque de l'archipel : des rues étroites, des terrasses blanches, des maisons à moucharabiehs permettant de voir sans être vu. Domoni, sur le littoral oriental, est l'ancienne capitale. De son passé, elle a conservé un antique palais aux fenêtres étroites, une des mosquées construites entre le XIIIᵉ et le XIVᵉ siècle, de vieilles ruelles arabes, des demeures aux portes sculptées et des tombeaux. C'est à Domoni que fut pêché, en 1952, le deuxième cœlacanthe connu.

Histoire
Quelques repères

Av. 1100 : les Cafres, premiers occupants de l'archipel, sont refoulés vers les « hauts » par des envahisseurs indonésiens et malais.
XIIᵉ s. : une flottille persane débarque au nord de la Grande Comore (aujourd'hui Njazidja) sous les ordres de Mohamed Aïssa ; islamisation.
1527 : les Portugais à Mayotte.
1780 : premiers raids des pirates malgaches.
1822 : le sultan de Mayotte est évincé par son conseiller malgache, Andriantsoly.
1830 : Mohéli (aujourd'hui Mwali) conquise par un prince hova, Ramanetaka ; conflit entre Anjouan (aujourd'hui Nzwani), alliée des Britanniques, Mayotte et Mohéli.
1841 : Mayotte cédée aux Français par Andriantsoly ; en 1843, occupation officielle par le capitaine Passot.
1886 : Mohéli, Anjouan et la Grande Comore sous protectorat français.
1897 : constitution de la colonie « Mayotte et dépendances », capitale Dzaoudzi.
1912 : les Comores sous l'autorité du gouverneur de Madagascar.
1947 : autonomie administrative et financière.
1958 : les Comores se maintiennent dans les T. O. M.
1961 : autonomie complète.
1962 : Saïd Mohamed Cheik, président ; la capitale est déplacée à Moroni.
1974 : référendum sur l'indépendance ; à Mayotte, le « non » l'emporte.
1975 : proclamation unilatérale de l'indépendance, dénoncée par Mayotte ; troubles internes ; le Parlement entérine l'indépendance, mais décide un référendum pour Mayotte.
1976 : Mayotte choisit de rester française.
1978 : directoire politico-militaire au pouvoir à Moroni.

La quatrième île est Mayotte, l'« île rebelle ». Le 8 février 1976, elle a choisi, par référendum, de rester un territoire d'outre-mer, en partie parce qu'elle fut française bien avant les trois autres, en partie parce qu'une hostilité traditionnelle l'oppose à Nzwani et aux descendants d'Arabes de Njazidja, les Mahorais étant, pour la plupart, d'origine sakalave et parlant un dialecte malgache.

À elle seule, Mayotte est un petit archipel : 2 îles et 16 îlots, entourés d'une ceinture corallienne. La plus importante des îles ressemble à un hippocampe renversé et abrite Mamoutzou, la préfecture. Mais l'âme de Mayotte est l'îlot de Dzaoudzi (2 ha), relié par une digue à l'île de Pamanzi, sorte de grand jardin verdoyant, enfermant un lac aux eaux vertes (Dziani). L'îlot de Dzaoudzi fut la capitale de l'ensemble comorien jusqu'en 1962, où il fut abandonné au profit de la Grande Comore.

Mayotte compte environ 30 000 habitants, en majorité chrétiens, pour une superficie de 374 km². En plus de sa rade, profonde et vaste, protégée par la barrière corallienne, elle a une vocation d'agriculture (canne à sucre, vanille, café) et d'élevage ■   Pierre MACAIGNE

▶

Bien que convertie depuis longtemps à l'islam, Njazidja a conservé une tradition africaine, le magnahoulé, forme de matriarcat qui renforce la position sociale des femmes en leur attribuant la propriété des terres et des habitations.
Phot. J.-A. Stevens

Madagascar

Le long de la côte orientale de l'Afrique, l'île de Madagascar — «la Grande Île» — offre la forme d'une empreinte humaine dans l'océan Indien. Un pied gauche monumental, plus vaste que la France et la Belgique réunies, puisque sa superficie approche les 600 000 km².

Du nord au sud, c'est-à-dire du cap d'Ambre au cap Sainte-Marie, l'île s'allonge sur 1 580 km, et sa largeur maximale, entre Mahavelona et Tambohorano, atteint presque les 600 km. C'est donc — Australie mise à part — la quatrième île du monde, derrière le Groenland, la Nouvelle-Guinée et Bornéo. La longueur des côtes se développe sur 5 000 km, c'est-à-dire une distance supérieure à la largeur des États-Unis, de New York à San Francisco.

Cette île, presque entièrement comprise dans la zone tropicale, apparaît totalement différente de l'Afrique, dont elle n'est pourtant séparée que par les 400 km du canal de Mozambique. Peut-être Madagascar est-elle le vestige d'un continent perdu : l'hypothétique continent de Gondwana, sorte d'Atlantide des mers du Sud qui aurait soudé jadis la péninsule indienne, Madagascar, l'Australie et l'Antarctique avant l'ère secondaire...

Le relief de la Grande Île est complexe. Un axe de Hautes Terres rouges, bosselées et souvent couvertes de prairies, court du nord au sud, coupé dans tous les sens par des plateaux transversaux qui isolent les principaux massifs. Madagascar est un hachis de collines, de montagnes et de petites plaines d'altitude.

Au nord, un massif granitique : le Tsaratanana (2 876 m), point culminant de l'île. C'est le pays des Tsimihétys.

Au centre, le massif d'Ankaratra, affaissé sur lui-même, englobe dans sa partie septentrionale le pays imérina, dont Antananarivo (ex-Tananarive) est la ville principale. Ces hauts plateaux centraux se prolongent par le pays betsiléo, qui a pour chef-lieu la ville de Fianarantsoa. Entre ces deux régions, une terre de transition tient de la haute plaine et du plateau : c'est la région d'Antsirabé. Vue d'avion, elle apparaît couverte de cultures entre les bosses et les creux, parmi les cônes, les entonnoirs où dorment des lacs. Dans la partie méridionale, enfin, le massif de l'Andringitra (2 658 m) se relève d'un coup au-dessus de Fort-Dauphin, présentant des escarpements inaccessibles, tandis qu'à l'ouest, parmi les gros rognons de grès du pays bara, autour d'Ihosy, c'est le décor des vallées désertiques du Far West.

L'extrême Sud est le pays de l'Androy, plate-forme calcaire à carapace argileuse dans un ensemble d'épais bouquets d'épineux, de

▲
Au large de la côte est, le vent de l'océan Indien ébouriffe les cocotiers de l'île Sainte-Marie, mais une barrière de récifs coralliens protège les plages de sable blanc.
Phot. Petron-C. E. D. R. I.

1

petits bois et de baobabs dressés vers le ciel comme des miradors.

Madagascar se présente donc comme un socle géologique très ancien (gneiss, micaschistes, quartz divers), nivelé par l'érosion et bousculé au cours des millénaires par d'énormes poussées de granite ou par des manifestations volcaniques. Ce socle cogne contre des escarpements rectilignes à l'est, alors qu'à l'ouest les roches sédimentaires forment des plateaux de calcaire ou de grès.

Les côtes, en revanche, n'ont rien de tourmenté. La côte orientale, à peu près rectiligne (à l'exception du plissement de la baie d'Antongil), est souvent bordée de marécages. Et si la côte occidentale offre des parties rocheuses (notamment au cap Sainte-Marie), elle se présente en général comme une suite de plages ornées de dunes, le long de lagons où les récifs coralliens constituent des chapelets d'îlots. Toutefois, au nord-ouest, la côte apparaît échancrée de petits golfes entre le cap Saint-André et le cap d'Ambre.

Couleur chocolat, enfin, les grands fleuves de Madagascar — l'Onilahy, le Mangoky (grossi du Matsiatra), le Mania (grossi du Mahajilo), le Mahavavy, la Betsiboka et la Sofia — coulent tous vers la côte ouest, tantôt étalés à la saison des pluies, tantôt corsetés dans les gorges des Hautes Terres.

Un éventail de climats

Une île aussi pétrie de montagnes, aussi vaste, située pour ses quatre cinquièmes en zone tropicale, ne peut qu'offrir une grande variété de climats.

Sur la côte orientale, il n'y a pratiquement pas de saison sèche. Toute l'année, les alizés

◀

Dans le Sud, les Mahafalys couvrent les sépultures d'un monceau de pierres et y plantent des cornes de zébu et des poteaux sculptés, les aloalos, évoquant avec verve les activités habituelles des défunts.
Phot. J.-A. Stevens

▲

Aride et pauvre, le sud de l'île offre des paysages d'une austère beauté, parsemés de rares villages entourés d'une clôture d'épineux.
Phot. Cormontagne-Explorer

de l'océan Indien butent contre les escarpements montagneux, à l'arrière du littoral où l'humidité atmosphérique reste élevée. Puis ils vont mourir en petits « grains » nocturnes sur les Hautes Terres pendant la saison fraîche. Privé de l'alizé, le Sud malgache connaît en revanche une sécheresse constante.

Au nord, les saisons sont tranchées. L'été est soumis aux pluies diluviennes qu'apporte la mousson du nord-ouest, de décembre à avril. L'hiver est sec, de mai à octobre (avec une douceur exceptionnelle à Nossi-Bé). Dans le Sud-Ouest, cette saison sèche est moins marquée. Vers la fin de la saison des pluies, entre

le 15 janvier et le 15 mars, Madagascar est exposée à des cyclones qui abordent généralement l'île par la côte orientale. Beaucoup sont violents. Sur les 95 dépressions observées par les météorologues de Tananarive en 40 ans, près des deux tiers se révélèrent fortement dévastateurs.

Cette diversité climatique détermine, naturellement, de notables différences de température d'une région à l'autre. La totalité de la côte est, subéquatoriale et constamment humide, connaît une température moyenne de 25 ^{0}C avec deux maximums. Les pays de l'Ouest et du Nord-Ouest, où existent des saisons tranchées, sont

plus chauds l'été et plus frais l'hiver, avec une sécheresse qui se renforce lorsqu'on descend vers le sud. Enfin, le climat des Hautes Terres (Antananarivo est à 1 400 m) connaît des soirées et des matinées fraîches. Le thermomètre y oscille autour de 18 ^{0}C dans la journée, avec des orages en fin d'après-midi de novembre jusqu'en avril. La température peut chuter brusquement, si bien qu'en altitude, une mince couche de gelée blanche couvrant le sol aux herbes dures de la « prairie » n'est pas un phénomène exceptionnel.

Bien entendu, la végétation diffère selon le climat et l'altitude. L'humidité de la côte orien-

4

▲
Avec ses îlots boisés et sa ceinture de volcans éteints, le lac Itasy est un site touristique réputé, particulièrement apprécié des pêcheurs.
Phot. Suire-Afip

▶
Représentant typique de la faune malgache, le doux et paisible sifakas, qui vit dans les arbres et se nourrit de feuilles, de fleurs et de fruits, est un des rares lémuriens qui ne soit pas nocturne.
Phot. Steinlein-Pitch

tale favorise les forêts, les futaies, les étendues marécageuses où règnent de grands roseaux parmi des dunes plantées de filaos et de pandanus. Les Hautes Terres, au contraire, présentent un paysage déboisé. Jadis les forêts couvraient l'île entière, à l'exception du Sud et de la région de Tuléar : elles ont fait place, notamment sur les plateaux, à une savane tropicale née des grands feux de brousse et des incendies agricoles *(tavy)*, ainsi que de l'abattage des arbres pour l'exportation pendant la période coloniale.

Cet appauvrissement végétal s'est évidemment répercuté sur la faune, encore qu'on

▲

Parmi les sept espèces de baobabs qui y prospèrent, Madagascar possède sa propre espèce surnommée « arbre-bouteille », elle a un tronc plus élancé que les arbres du continent, et les paysans utilisent ses graines pour fabriquer de l'huile.
Phot. Cormontagne-Explorer

Histoire
Quelques repères

Antiquité : l'île est connue des marins grecs.
Fin du Moyen Âge : comptoirs arabes sur la côte nord-ouest.
1500 : Diogo Dias nomme Madagascar île de Saint-Laurent. Tentatives portugaises de colonisation (1527).
1643 : le Français Jacques Pronis prend possession de l'île au nom de Louis XIII et crée Fort-Dauphin. Échec en 1674.
Fin du XVIIᵉ siècle : l'ethnie Mérina règne sur les Hautes Terres. Fondation de Tananarive par le roi Andrianjaka.
1750 : deuxième tentative coloniale française sur la côte orientale.
1794 : Tananarive, capitale du royaume Mérina.
1777-1810 : début d'unification sous Andrianampoinimerina.
1810-1828 : Radama Iᵉʳ, son fils, continue son œuvre. Il est reconnu roi de Madagascar par les Anglais (1817).
1828 : la reine Ranavalona Iʳᵉ expulse les Européens.
1829 : intervention militaire française.
1845 : nouvelle intervention militaire française.
1861-1863 : Radama II rouvre Madagascar aux étrangers.
1863-1893 : règne des trois reines, Rasoherina, Ranavalona II et Ranavalona III. Rainilaiarivony, Premier ministre, exerce le pouvoir.
1883 : conflit franco-malgache. Tamatave bombardée.
1885 : protectorat français.
1894 : deuxième conflit. Corps expéditionnaire Duchesne.
1896 : Madagascar colonie française. Gallieni gouverneur.
1940 : isolement de Madagascar pendant la Seconde Guerre mondiale.
1942 : débarquement anglais. L'île rallie la France libre.
1946 : Madagascar, territoire d'outre-mer.
1947 : rébellion partie de la côte est durement réprimée.
1956 : loi-cadre. Le député Tsiranana chef de l'exécutif.
14.10.1958 : proclamation de la République malgache.
1959 : Constitution. Tsiranana élu président de la République.
26.6.1960 : indépendance. L'île dans la Communauté française.
1972 : répression de la révolte de l'Université. Tsiranana remet ses pouvoirs au général Ramanantsoa.
1973 : nouveaux accords de coopération. Sortie de la zone franc. Départ des troupes françaises.
1975 : après une période agitée, création de la République démocratique de Madagascar. Président : D. Ratsiraka.

trouve sur la Grande Île des espèces qui n'existent nulle part ailleurs : comme sur la côte est, les derniers lémuriens, ces « ancêtres » de la race humaine qui ont contribué à faire nommer Lémurie le fabuleux continent primitif de Gondwana. Sans doute l'intérieur des vieilles forêts malgaches conserve-t-il des espèces rares de fleurs, d'insectes, de petits carnivores. Quoi qu'il en soit, Madagascar ne possède aucun

grand fauve, aucun grand reptile en dehors des crocodiles. Les nombreux lacs sont surtout fréquentés par le gibier d'eau et, au sud, par les flamants roses. Des lacs d'ailleurs particulièrement poissonneux : du poisson aveugle des fonds du lac Tsimanampetsotra, sorte de lagune encastrée sur le littoral sud-ouest, à la truite du lac froid de Manjakatompo, des anguilles de rizière entre les marais du lac Alaotra aux carpes du petit lac d'Itasy ou aux poissons rouges de la retenue d'eau du lac Mantasoa qui régularise les eaux de la capitale.

Néanmoins, de nombreuses espèces animales ont disparu depuis le temps où l'île était couverte de forêts. Notamment les hippopotames nains, les grands lémuriens, les tortues géantes et surtout l'« oiseau-éléphant », l'æpyornis, sorte d'autruche qui atteignait trois mètres.

Mystère et certitudes

Cette présence de l'æpyornis émergeant des temps préhistoriques pose encore le problème difficile des origines de Madagascar. Et d'abord celui de son peuplement.

Actuellement l'anthropologie, la linguistique, l'observation des techniques instrumentales agricoles, des techniques d'habitation, de chasse, de pêche, les rites funéraires, la similitude de certains instruments de musique tendent à prouver que les Malgaches sont les cousins des Indonésiens et des Malais, mêlés à des apports africains récents.

Quand sont-ils arrivés ? Existait-il avant eux une population autochtone ? Est-il vrai que l'île ait été primitivement habitée (comme le prétendent les légendes) par des nains, les Kimosys ou les Vazimbas ? Ou bien Madagascar était-elle déserte ? Que furent ses rapports avec l'Afrique ? Autant de mystères. Aucun vestige préhistorique n'a été retrouvé.

Les premières certitudes ? Vers la fin du Moyen Âge, des Arabes ont fondé des comptoirs commerciaux sur la côte nord-est, notamment à Vohémar. Mais l'île était déjà connue du monde antique. Ptolémée l'avait nommée *Menuthias*, et les marins grecs *Medruthis*. Pour les Arabes, elle fut Djafouna et Camarocada. L'islam créa de petits ports le long des côtes sud-est et nord-est, établissements détruits au XVᵉ siècle par les Portugais.

Le 10 août 1500, Diogo Dias nomme c[ette] terre « île de Saint-Laurent ». Pourtant « M[ada]gascar » l'emportera dans les habitudes, [bien] que ce nom soit déjà celui d'une île découv[erte] deux siècles plus tôt par Marco Polo.

Après l'échec des tentatives portugaise[s de] 1527 dans l'extrême Sud-Est, le Français [Jac]ques Pronis prend possession de Madagasca[r au] nom de Louis XIII en 1643. Il la nomm[e Fort-]Dauphine, en hommage au futur Louis XIV [et] crée Fort-Dauphin. Pendant trente-deux [ans,] notamment sous le gouverneur Étienne de [Fla]court, les établissements côtiers prospérè[nt,] encouragés par Colbert. En 1674, cepend[ant,] c'est l'échec : Fort-Dauphin est abandonn[é au] profit de la Réunion (île Bourbon). Vers la [fin] du XVIIᵉ et pendant le XVIIIᵉ siècle, les c[ôtes] malgaches servirent surtout de repaires [de] pirates, tandis que des aventuriers tentaien[t de] fonder des États (république de « Libertali[a »).

Dans les mêmes années se constituent [for]tement à l'ouest les royaumes sakalavas, ta[ndis] que, sur la côte orientale, le fils d'un p[irate] anglais, Ratsimilaho, fédère les tribus côti[ères] betsimisarakas et fonde un royaume. La Fra[nce] n'a pas perdu l'espoir de prendre pied à M[ada]gascar. En 1750, elle s'installe à l'île Sai[nte]-Marie, dont la reine Bety (épouse du légen[daire] caporal La Bigorne) a passé un accord ave[c le] gouverneur des Mascareignes. Les Fran[çais] reviennent à Fort-Dauphin pour une nouvel[le] malheureuse tentative avec le comte de M[o]dave, et tentent d'établir des points d'ap[pui] dans la baie d'Antongil, où le baron Benyow[sky] fonde Louisbourg et Port-Choiseul, l'ac[tuel] Maroantsetra. En dépit d'échecs, elle crée [des] comptoirs à Mahavelona (1767) et à Tama[tave] (1804). Vers la fin du premier Empire, [les] Anglais expulsent les Français, qui ne [con]servent que l'île Sainte-Marie jusqu'à ce qu[e le] traité de Paris (1814) rende à la France [ses] comptoirs malgaches.

L'empire mérina

Tandis que les Européens tentent de s'en[raci]ner sur la côte est, l'une des ethnies ma[lga]ches, les Mérinas, d'origine malaise, dont [les] Hovas constituent l'aristocratie dirigeante, [édi]fie patiemment un royaume à l'intérieur [des] Hautes Terres.

Au XVIIᵉ siècle, l'un des rois mérinas, Andrianjaka, fonde Tananarive (Antananarivo) sur la plus haute des douze collines du pays imérina. Mais c'est le roi Andrianampoinimerina (« le Seigneur du cœur de l'Imérina », 1777-1810) qui, d'Ambohimanga, à 25 km de Tananarive, réunit les chefferies sous une autorité de type féodal, puis annexe au sud les pays betsiléo, début de l'unification politique de Madagascar au XVIIIᵉ siècle, avec la devise : « La mer sera la limite de ma rizière. » Le grand roi hova fit de Tananarive sa capitale en 1794.

Son fils, Radama Iᵉʳ (1810-1828), continua son œuvre. Il poursuivit l'unification, ouvrit le royaume au monde du XIXᵉ siècle en établissant des relations commerciales et culturelles avec les Anglais (notamment le gouverneur de Maurice) et les Français, dont certains (le sergent Robin) devinrent ses confidents. Radama Iᵉʳ se dota d'une armée grâce aux Anglais, acheva la conquête des deux tiers de l'île et se fit reconnaître roi de Madagascar par la Grande-Bretagne (1817). Ne lui résistèrent que les pays de l'extrême Sud et une partie des royaumes sakalavas de l'Ouest. Sous son règne fonctionnèrent les premières écoles.

À sa mort, son épouse et cousine Ranavalona Iʳᵉ (1828-1861) lui succéda. Femme énergique et cruelle en réaction contre les ouvertures du règne précédent, elle fit massacrer sa famille, expulsa les Européens et persécuta les missionnaires. Cette xénophobie n'empêchait point la reine d'avoir pour favori l'ingénieur français Jean Laborde, qui développa un embryon d'industrie à Mantasoa. À deux reprises (1829 et 1845), la France, d'abord seule puis unie à l'Angleterre, intervint contre Ranavalona Iʳᵉ en bombardant Tamatave.

Radama II, fils de Ranavalona Iʳᵉ, succède à sa mère en 1861, et la Grande Île s'ouvre de nouveau aux influences étrangères. Amnistie générale. Traité avec la France (1862). Retour des missionnaires et des hommes d'affaires, notamment du Français Lambert et de l'Anglais Caldwell. Mais le roi entre en conflit avec son Premier ministre et meurt étranglé. Désormais le trône sera occupé par des reines : Rasoherina (1863-1868), Ranavalona II (1868-1883) et Ranavalona III (1883-1897).

Sous les trois reines, le pouvoir est entre les mains du Premier ministre Rainilaiarivony, qui épouse successivement les souveraines. Cet

homme d'État poursuit l'ouverture, dote le royaume d'un Code civil (1881) dit « des 305 articles » et d'une organisation à l'occidentale. Il échange des ambassadeurs avec la plupart des grandes puissances.

La période coloniale

Un premier conflit franco-malgache éclata en 1883. Les rois sakalavas et antakaranas du nord de Madagascar, chassés par la conquête mérina, s'étaient réfugiés dans l'île de Nossi-Bé, sous protectorat français depuis 1841. L'ambiguïté de cette situation, les plaintes des colons réunionnais et des milieux catholiques décidèrent la IIIᵉ République à une expédition maritime. En 1885, Rainilaiarivony dut accepter un protectorat (reconnu par la Grande-Bretagne en 1890), qui fut sans cesse remis en question. Ce qui entraîna une deuxième intervention et le débarquement en 1894 d'un corps expéditionnaire à Majunga, sous les ordres du général Duchesne. Tananarive capitula le 30 septembre 1895, non sans que le corps expéditionnaire,

◄

Les Mérinas élèvent à leurs morts des mausolées en forme de bastions, blanchis à la chaux et ornés de motifs stylisés.
Phot. Perno-Fotogram

▲

Dans le Rova (citadelle) d'Antananarivo, l'ancienne Tananarive, les tombeaux royaux, juchés sur des socles de pierre, tiennent compagnie aux palais des souverains et des souveraines.
Phot. Serraillier-Rapho

seurs de Gallieni (le docteur Augagneur, les gouverneurs Picquié, Garbit, Marcel Olivier, Cayla) continuèrent son œuvre jusqu'en 1939.

Les chemins de l'indépendance

Jusqu'à la Seconde Guerre mondiale, l'opposition nationaliste ne joua qu'un rôle modeste. Elle se manifesta en 1915, lors de la découverte d'un mouvement clandestin, la V.V.S. (*Vy, Vato, Sakelika :* Fer, Pierre, Ramifications), sévèrement réprimé. Dans les années 1925, le nationalisme malgache se cristallisa autour de Jean Ralaimongo, instituteur et ancien engagé volontaire de 1914-1918, qui réclamait l'égalité des droits et l'assimilation, puis l'indépendance après 1929.

Après le Front populaire, la situation semble s'assouplir. Les leaders assignés à résidence retrouvent leur liberté. Georges Mandel, ministre des Colonies, juge même le climat suffisamment calme pour ramener à Tananarive le corps de Ranavalona III (1938).

Les années difficiles de 1940 marquèrent un changement profond. Après la défaite militaire française de 1940, Madagascar, isolée, connut de tragiques difficultés et même la disette. Elle rallia la France libre après le débarquement britannique à Majunga et Diégo-Suarez (1942). Nommé haut-commissaire, le général Legentilhomme prit ses fonctions en 1943 dans des conditions politiques et économiques qui n'avaient rien de commun avec celles d'avant 1939. Les nationalistes réclamaient désormais un nouveau statut. Tandis que le territoire d'outre-mer était doté d'une assemblée représentative (sans grands pouvoirs) et envoyait des représentants à l'Assemblée nationale, les nouveaux partis gagnaient les élections.

Le marasme économique, la dégradation de la situation sociale, les bas salaires, le sentiment aussi que la France désormais manquait de moyens pour tenir le même langage qu'autrefois amenèrent des troubles graves. Une rébellion sanglante éclata en mars 1947 sur la côte orientale. Durement réprimée, elle fut suivie du procès des dirigeants du Mouvement démocratique de rénovation malgache. Le MDRM fut dissous, ses leaders emprisonnés, ainsi que les députés malgaches considérés comme complices.

Une période plus calme suivit l'explosion de 1947. En 1956, une loi-cadre apporta aux habitants de Madagascar un embryon d'exécutif. Elle prévoyait la présence d'un vice-président malgache au Conseil du gouvernement, l'élargissement des compétences des assemblées territoriales, la réforme de la fonction publique, le vote des femmes, etc. Le premier vice-président fut l'instituteur socialiste Philibert Tsiranana (1912-1978), fondateur du Parti social démocrate (PSD) et député de Madagascar.

Le retour du général de Gaulle favorisa la restauration de l'indépendance. Le 14 octobre

miné par les fièvres, ait vu fondre les deux cinquièmes de ses effectifs. Le général Duchesne imposa un autre traité, qui n'eut pas plus de succès que le précédent. Moins de neuf mois plus tard, le Parlement français votait l'annexion de Madagascar, déclarée colonie (6 août 1896).

Le premier gouverneur fut le général Gallieni (1896-1905). Il mit fin à l'insurrection de l'Imérina. Suspectée de collusion avec la rébellion,

Ranavalona III fut déposée (février 1897) et exilée à la Réunion, puis en Algérie. Gallieni entreprit alors une pacification lente (« la tache d'huile »), ne rencontrant d'obstruction que dans le Sud et en pays sakalava. Avec ses collaborateurs (le colonel Lyautey), il mit en place une administration, développa des échanges commerciaux, ouvrit des routes, entama des travaux publics comme le premier tronçon de la voie ferrée Tananarive-Tamatave. Les succes-

▲
Les belles Sakalavas se parent volontiers de tissus aux couleurs chatoyantes.
Phot. Zuber-Rapho

1958, la République est proclamée à Tananarive. La loi d'annexion de 1896 est abrogée et, le 29 avril 1959, l'île adopte une Constitution prévoyant Assemblée nationale et Sénat sous l'autorité d'un président aux pouvoirs étendus. Le 1er mai, Tsiranana est élu président à l'unanimité moins une voix (la sienne). L'indépendance est officiellement reconnue le 26 juin 1960 et l'île adhère à la Communauté française.

Mais à partir de 1967 s'amorce un nouveau virage. La popularité de Tsiranana (triomphalement réélu en 1965) est en baisse. D'origine tsimihéty, il est accusé de favoriser les « côtiers ». En outre, il est victime d'accidents de santé. En avril 1971, des troubles éclatent au sud de l'île.

De nouveaux troubles en mai 1972 se déclarent, cette fois à l'université de Tananarive. Les pleins pouvoirs sont donnés au général Ramanantsoa pour un gouvernement d'union, qui annonce une autre Constitution. C'est la fin de Tsiranana. En octobre, Ramanantsoa est plébiscité (96 p. 100).

Dès lors, dans un contexte politique où Madagascar est secouée de remous (mutinerie, pronunciamientos, attentats, procès des anciens dirigeants), les liens avec la France se distendent. L'île sort de la zone franc (mai 1973). De nouveaux accords de coopération sont passés, prévoyant le départ des forces françaises. Les banques, le sous-sol et les compagnies d'assurances sont nationalisés, tandis qu'est proclamée la IIe République (30 décembre 1975). Son président est le capitaine de frégate Didier Ratsiraka, élu par référendum avec 94,7 p. 100 des voix. L'île a pris un nouveau départ : celui de la République démocratique de Madagascar.

Une terre agricole

L'économie malgache est d'abord agricole. L'agriculture représente 90 p. 100 des exportations pour une population aux trois quarts paysanne. Ce n'est pas la moindre contradiction de l'île que la surface des terres exploitées ne représente guère plus de 3 p. 100 de la superficie générale.

Excepté dans le sud du pays, partout c'est le riz. Paysages de rizières où les pique-bœufs et les hérons jettent des taches blanches. Rec-

tangles d'eau où se reflètent les nuages. Mosaïque de miroirs parmi les terres rouges des plateaux de l'Imérina, ou bien accrochés en étages le long des pentes du pays betsiléo entre des champs de maïs et des plants de haricots. Le riz est la culture vivrière de base avec le manioc, qui le complète dans le régime alimentaire des Malgaches.

En tête des cultures d'exportation : le café, cultivé depuis un siècle dans l'Est. Caféiers et girofliers font partie du paysage traditionnel de la côte orientale. L'exploitation du premier représente le tiers des exportations totales de Madagascar. Par ailleurs (surtout à Sainte-Marie), les Malgaches produisent le tiers du girofle mondial. La canne à sucre, très vieille culture, est limitée aux régions de l'Ouest et du Nord-Ouest, ainsi qu'à Nossi-Bé. Quant à la vanille, dont Madagascar est le premier producteur mondial, elle couvre entre 80 et 90 p. 100 du marché international : les vanilliers sont cultivés dans le Nord-Est. Parmi les autres cultures d'exportation : le poivrier, le tabac, le cacaoyer, l'arachide et les plantes à parfum.

L'élevage est, avec l'agriculture, la principale richesse de l'île. Mais c'est davantage une

▲
Le lac d'Andranotoraha, qui occupe le plus beau cratère du massif volcanique de l'Itasy, passe pour être la demeure d'un monstre : celui-ci ne se manifestant que la nuit, personne ne l'a jamais vu.
Phot. Vulcain-Explorer

▶
La brume des Hautes Terres se lève sur un décor de rizières et de bosquets d'une reposante sérénité.
Phot. J.-A. Stevens

forme d'épargne familiale qu'un élément de l'économie générale. Pourtant, ce pays couvert de savanes possède une vraie vocation pastorale. C'est le paradis du zébu. Un cheptel de 9 600 000 têtes de bovins fait de Madagascar l'une des régions du monde où la proportion par habitant est l'une des plus fortes. Les grandes zones d'élevage se trouvent dans l'Ouest, le moyen Ouest et le Sud. Les troupeaux, toujours gardés par des petits bergers appuyés sur de longues perches, ne sont pas rares autour de Betroka sur le fleuve Onilahy, autour de Beroroha sur le Mangoky, ou vers Ihosy, Mandobé et, plus au nord, vers Tsaratanana. Ces troupeaux se déplacent sans hâte sur de vastes étendues qu'on incendie à la fin de la saison sèche pour renouveler la terre.

Dans l'extrême Sud, région sèche et pauvre, les moutons et surtout les chèvres noires se pressent autour des villages, dont ils sont pratiquement l'unique ressource.

Sous-sol
et industrie malgache

Le sous-sol et l'industrie de la Grande Île ne connaissent pas encore des conditions d'exploitation pouvant assurer leur plein développement. Quelques gisements de mica dans le Sud. Du graphite dans l'Est, le Centre et le Sud-Ouest. Plus importantes sont les mines de chromite d'Andriamena, au nord d'Antananarivo, et la présence de bauxite le long de la côte orientale, à une centaine de kilomètres au nord de Fort-Dauphin, suscite d'importants espoirs. En matière d'hydrocarbures, Madagascar fonde ses espoirs sur les gisements de Tsimiroro et de Bemolanga, quoique leur exploitation paraisse onéreuse.

◄
Dans les Hautes Terres, les habitations sont souvent dotées d'une véranda portée par des piliers de pierre.
Phot. C. Lénars

▲
Sculptés par les vents chargés de sable, qui leur ont donné l'aspect de châteaux, de remparts ou de monuments en ruine, les pitons de grès de l'Isalo, près de Ranohira, composent une étrange ville morte.
Phot. Bédu-Afip

Très nombreuses, les pierres semi-précieuses font l'objet d'une exploitation qui se développe. Béryls, tourmalines, grenats et autres pierres d'ornementation, mais aussi quartz piézo-électrique et l'orthose ferrière jaune d'or, qu'on ne trouve guère qu'à Madagascar. En outre, des indices d'émeraude et de saphir ont été relevés, et il existe des pronostics géologiques favorables à la présence de diamant dans le Sud malgache.

Le développement industriel, pour sa part, reste limité (8 à 10 p. 100 du revenu national) en raison de la pauvreté du niveau de vie et de l'absence de matières premières. Mais l'industrie ne demande qu'à se développer. Les industries alimentaires sont les plus anciennes. Importantes sucreries, conserveries de viande (avec les sous-produits : tanneries et engrais), rizeries dans la région en plein essor du lac Alaotra, près de Tamatave. En fait, l'industrie malgache se développe autour des grands centres. À Antananarivo : textile, cuir, papier, conserves, petite métallurgie, mécanique et bois. À Majunga : cimenterie, filature et tissage. Cotonnerie d'Antsirabé, qui possède également une brasserie et une manufacture de tabac.

Une richesse potentielle :
le tourisme

Le tourisme doit être placé au premier rang des possibilités de Madagascar, l'île offrant une extraordinaire diversité de paysages et de

▲▲
Au centre d'Antananarivo, un plan d'eau artificiel entouré d'arbres, le lac Anosy, fournit aux habitants de la capitale un agréable but de promenade.
Phot. Hoa-Qui

▲
Antananarivo : derrière la porte monumentale du Rova, surmontée d'un aigle de bronze, se dresse le palais de la Reine, construit entièrement en bois, mais recouvert par Ranavalona Iʳᵉ d'une enveloppe de pierre à arcades, flanquée de tours carrées.
Phot. Picou-A. A. A. Photo

▶
Antananarivo : la marée des parasols blancs du Zoma, le grand marché de la ville basse, vient buter sur les rues en escalier qui escaladent les collines sur lesquelles est construite la capitale.
Phot. Saint-Hilaire-Atlas-Photo

contrastes, souvent mal connus en dehors des deux grands centres touristiques : Antananarivo et Nossi-Bé.

Mais restent à découvrir les immensités des territoires de l'Ouest, les bois humides et chauds de l'Est, l'aridité désertique du Sud, les montagnes du Nord. Certes, ce n'est plus le confort de « Tana ». Mais le plaisir de la découverte vaut le pari. Hasardons un conseil : la meilleure technique de voyage consiste à pratiquer le « saut de puce » par avion, d'une ville à l'autre, pour rayonner ensuite à bord de voitures de louage : car toutes les routes malgaches ne sont pas bitumées, et les longues étapes se révèlent pénibles.

Que voir ? D'abord, un roi et une reine. C'est-à-dire Tananarive et Nossi-Bé. « Tana » — désormais Antananarivo — est un mélange de « montagnes russes » ruisselantes de couleurs où dominent le rouge brique et la verdure dans la clarté lumineuse des villes d'altitude. Il faut flâner au Zoma, parmi les pavillons et les parasols de ce grand marché qui tient du bazar. Il faut se promener dans les petites rues au charme provincial, entre les jardins clos et de pittoresques maisons perchées. Il faut grimper à la citadelle, ce Rova qui remonte aux temps d'Andrianjaka et où la reine Ranavalona Ire fit construire ce palais rouge aux quatre tours florentines. Le cœur de la dynastie mérina bat ici : vieux palais d'Argent aux fresques naïves, palais de bois du grand roi Andrianampoinimerina, palais surnommé « Surcroît de Beauté » de la reine Rasoherina, avec ses collections historiques. Et au pied de ces résidences royales, de ces tombeaux, du Temple, qui ressemble à une église de village : la ville d'où montent les rumeurs atténuées, la ville comme un océan de tuiles roses. Et le lac Anosy, entouré d'arbres.

Il ne faut pas quitter « Tana » sans pousser jusqu'à Ambohimanga, une vingtaine de kilomètres plus loin. C'est la cité sacrée. Ambohimanga signifie « Colline bleue ». Rien qu'un petit village de l'Imérina, mais d'où partit l'histoire de la royauté hova sur l'île. Tous les souverains malgaches furent fidèles à cette « colline inspirée » que ferme une pierre levée, à l'entrée des anciens remparts.

Les habitants d'Antananarivo qui le peuvent vont passer des week-ends de pêche et de chasse à Ampefy, près des jolies chutes de la Lily, sur les bords du lac Itasy, à 130 km de la capitale, ou plus simplement pique-niquer et se baigner sous les ombrages du lac de Mantasoa, près du tombeau de Jean Laborde, favori de Ranavalona Ire, qui construisit en ces lieux usines et hauts fourneaux.

Cette région des Hautes Terres est l'une des plus belles de l'île. Près d'Ambatolampy, les chutes de l'Onive cascadent en deux rebonds de 30 m dans un site d'une grandeur sauvage à Tsinjoarivo. Dans cette station de villégiature, également, les courageux louent des guides pour l'ascension relativement simple des 2 643 m du Tsiafajavona, troisième sommet de Madagascar, d'où l'on découvre l'immense panorama des plateaux.

Partout, encore des cascades et des lacs de cratères, surtout aux environs de la station thermale d'Antsirabé, le « Vichy » malgache. Chutes de l'Antafolo, près du lac de Betafo, petit chef-lieu de district dont les jardins du « rova » descendent en terrasses suspendues jusqu'au fond de la vallée. Eaux silencieuses et noires du lac Tritriva, au fond de leur paroi rocheuse située tout en haut d'un tronc de cône volcanique hanté de vieilles légendes. Charme forestier, au contraire, du lac d'Andraikiba parmi les collines boisées...

Le Sud, au contraire, est le pays de la sécheresse. D'Antananarivo à Tuléar, la route n'est que partiellement goudronnée. Au-delà de Fianarantsoa (qu'on appelait « Fianar » comme on disait « Tana »), véritable plaque tournante au cœur des hauts plateaux du pays betsiléo, elle chemine à travers le massif de l'Isalo, labyrinthe de défilés rappelant les impressionnants rochers du Far West.

Bâtie dans les dunes en bordure de mer, Tuléar est la « capitale du Sud ». Une immense plage de sable fin sur une vingtaine de kilomètres — la « Batterie » —, sans parler de celle d'Ifaty, plus au nord, dans la verdure. Au sud de la ville, la grande baie de Saint-Augustin fut l'un des premiers mouillages des navigateurs sur la route des Indes, notamment Fleuriot de Langle, qui établit des comptoirs sur la côte et sur l'île de Nossi-Vé (ne pas confondre avec Nossi-Bé), aujourd'hui à peu près déserte. Toute cette côte peu fréquentée baigne dans des eaux d'une rare transparence. C'est un enchantement que de survoler ces lagons verts ou violet bleu frangés d'écume, à bord d'un avion de tourisme.

Le paysage du Sud reste essentiellement le *bush*. Buissons d'épineux sans feuilles apparentes. Cactus à raquettes attaquées par les cochenilles. Courts arbres à trompes molles (didiereas). Et d'énormes baobabs, que les paysans nomment « arbres à gros ventre », de loin en loin, comme des pattes d'éléphant abandonnées. En pleine campagne, le long de la route, s'élèvent des tombeaux mahafalys : un entassement d'énormes blocs sur un mètre de haut, où sont plantés des bois sculptés *(aloalo)* parmi les crânes à cornes des bœufs sacrifiés. Ce sont les *valavatos*, plus ou moins importants selon la fortune de la famille du défunt.

◄

Dans le Nord, et notamment dans la région d'Antseranana, l'ancienne Diégo-Suarez, vivent les Antankaranas (ou Tankaranas), dont les traits révèlent l'origine africaine.
Phot. Hoa-Qui

Au-delà de Betioky, le seul bourg important est Ampanihy où sont tissés les fameux tapis en mohair (poil de chèvre). Cet extrême Sud malgache est le pays des farouches bergers antandroys, accrochés à une savane ingrate.

Enfin, sur la côte orientale, au pied des hauts sommets de l'Anosy, le promontoire de Fort-Dauphin domine de 60 m à pic le bleu de cette jolie baie historique. Quelques canons rouillés sous les filaos, les pierres d'un chemin de

ronde, une grande porte d'ordre toscan sont les derniers vestiges du fort Flacourt. À une cinquantaine de kilomètres au nord, la baie de Sainte-Luce, dans ses cocotiers, étale une mer couleur d'émeraude autour d'un chapelet d'îlots rocheux : le *Saint Alexis* du Dieppois François Cauche y relâcha en 1638 pour créer le premier établissement français à Madagascar, abandonné plus tard au profit de Fort-Dauphin, plus salubre.

La diversité malgache

À l'exception de la baie d'Antongil, la côte orientale apparaît rectiligne. On la dirait coupée au couteau. Les vents et les courants marins y ont créé un interminable cordon littoral abritant des lagunes intérieures, des marécages coupés de langues de terre. Tel est le décor des Pangalanes sur plus de 600 km. On dirait un

▲
À quelques encablures de Madagascar, l'île de Nossi-Bé est un petit paradis montagneux, bordé de plages magnifiques et embaumé par les plantations d'ilang-ilangs, un arbre dont les fleurs sont utilisées en parfumerie.
Phot. Serraillier-Rapho

immense parc passablement humide et moite, agrémenté d'arbres ornementaux : badamiers, pandanus, cycas, etc.

À l'ouest de ce cordon littoral règne la grande forêt dans un enchevêtrement de lianes et d'arbres géants accrochés à des falaises où ruissellent les cascades. C'est au fond de ces forêts qu'on risque d'entendre encore le cri nocturne des derniers lémuriens, comme l'aye-aye aux longs doigts crochus.

Madagascar

17

Tamatave (Toamasina en malgache) est la cité la plus importante de cette côte. C'est le premier port de l'île. Son nom serait une déformation de « Saint-Thomas », mais une tradition soutient que Radama Iᵉʳ, qui y entrevit la mer pour la première fois, s'étonna après l'avoir goûté : « *Toa masina* (c'est salé). » La ville est agréable, avec de larges avenues bordées de flamboyants et de palmiers-colonnes le long de la mer. En face de Tamatave, l'îlot Prune, dans sa végétation exubérante ceinturée de corail, est bien connu des amateurs de langoustes et des pêcheurs sous-marins.

Cette côte orientale est particulièrement riche en sites pittoresques. Par exemple, la plus haute cascade de Madagascar (au nord de Mananjary, dans le district de Nosy-Varika), lorsque la Sakaleona plonge de la falaise en deux gradins dont le second, absolument vertical, n'a pas moins de 250 m (presque le troisième étage de la tour Eiffel). Ou le petit village de Vatomandry dans les cocotiers, entre la lagune et la mer, le long du canal des Pangalanes. Et, au Nord de Tamatave, Mahavelona (Foulpointe), parmi les manguiers, les filaos, les badamiers, où beaucoup de citadins passent leurs vacances.

Nettement plus au nord, l'île Sainte-Marie reste un de ces bouts du monde qui n'ont pas encore été touchés par le grand tourisme. Nommée jadis île d'Abraham, cette « sœur oubliée » de Nossi-Bé fut l'île de la jolie reine Bety et du caporal gascon La Bigorne, son légendaire prince consort. Les sites y conservent des noms qui font facilement rêver : la baie des Forbans, le Petit-Barachois, l'îlot Madame, où les pirates venaient réparer leurs bâtiments, etc. L'île Sainte-Marie baigne dans le parfum du giroflier, unique ressource de son économie.

Au-delà du gros bourg de Maroantsetra, dans le fond de l'immense golfe formé par la baie d'Antongil, jadis vrai repaire de pirates et où le baron Benyowski, aventurier polono-hongrois, fonda Port-Choiseul et Louisbourg à l'époque où il espérait devenir « empereur » de Madagascar, commence le nord de la côte orientale, avec des sous-préfectures isolées des grands axes routiers, comme Antalaha, qui produit pourtant les deux tiers de la vanille malgache, et Vohémar, près de laquelle se situe le lac Vert dont les eaux changent de couleur aux différentes heures du jour. Ce lac Vert est l'objet de légendes concernant ses crocodiles, auxquels les riverains rendent un culte.

Antseranana (ex-Diégo-Suarez), à l'extrémité de l'île, est le troisième port de Madagascar, dans une baie somptueuse, à l'abri du cap d'Ambre. Jusqu'à l'évacuation de la base, après les nouveaux accords de coopération de 1973, Diégo-Suarez était la plus importante installation militaire française de l'océan Indien.

La côte nord-ouest est considérée comme la meilleure de l'île : du cap d'Ambre au cap Saint-André, elle offre de nombreuses baies qui correspondent à des dépressions. Protégée du vent d'est par le massif du Tsaratanana, elle reçoit les vents de la mousson indienne. C'est le long de cette côte que s'établirent jadis les colonisateurs arabes.

Néanmoins, les touristes la connaissent mal. Si le lac Sacré, sur l'ancienne route des Placers, vaut surtout par les légendes qui s'y rattachent, les grottes de l'Ankara, aux environs d'Ambilobé, s'enfoncent en de longues galeries à stalactites, dernier refuge des Antankaranas contre Radama Iᵉʳ. On dit qu'elles abritent un trésor de guerre et les tombeaux royaux. Au sud, les chutes de la Mahavavy plongent dans un gouffre vertigineux qu'on découvre brusquement entre les masses noires de deux grandes roches jumelles.

Ambanja, au centre d'une riche région de culture, que dominent les montagnes du Tsaratanana, où est installée une réserve naturelle, demeure un petit sous-chef-lieu sur le Sambirano, à quelques kilomètres des plages autrefois fréquentées par les rois sakalavas. On s'y embarque pour Nossi-Bé. Au-delà, la route de Majunga n'est pas toujours facile.

Un bout du monde : la rade d'Analalava, que ferment deux îlots et l'île de Nosy-Lava, nécropole des rois sakalavas, est bordée de plages aux fonds coralliens peuplés de poissons. On retrouve encore dans cette région les chants et les danses sakalavas.

Majunga, sur l'embouchure aux eaux rouges de la Betsiboka, est le deuxième port de Madagascar. C'est une grande ville colorée, avec ses quartiers comoriens et indiens. Le port est un enchevêtrement de cargos et de boutres, alors que la corniche du bord de mer, sur le canal de Mozambique, a l'ordonnance d'un jardin.

Aux environs de Majunga, l'immense plage d'Amborovy est bordée de criques et de bungalows sous les filaos. En cinq heures de bateau, on peut également remonter le fleuve jusqu'à Marovoay, premier port fluvial malgache au débouché d'une plaine couverte de rizières.

Marovoay est l'un des sous-chefs-lieux les plus charmants de l'île. Une excursion plus longue encore mène aux grottes d'Androhibe, qui aboutissent à une sorte de nef souterraine aux dimensions de cathédrale, au bout d'une série de salles aux innombrables concrétions. À plus de 100 km de Marovoay, dans la direction d'Antananarivo, les rapides rouges de la Betsiboka tourbillonnent parmi des roches couvertes de limon ocre, en un spectacle aussi insolite

◀

Les crocodiles du lac sacré d'Anivorano, au sud d'Antseranana, sont censés être des réincarnations d'ancêtres, et les habitants de la région leur apportent d'abondantes offrandes de viande.
Phot. J.-A. Stevens

qu'impressionnant, mais c'est vraiment le seul intérêt de cette route difficile, qui ramène vers la capitale.

Nossi-Bé (le mot *nossi* — ou *nosy* — signifie « île ») occupe une place à part dans le tourisme malgache. On l'a surnommée « le Tahiti de l'océan Indien ». C'est une petite île montagneuse (30 km sur 20 km) aux nombreux lacs de cratère parmi les champs de canne à sucre et les poivriers, dans le parfum des plantations

d'ilang-ilang. Probablement le plus beau paysage de Madagascar. Hell-Ville, le sous-chef-lieu, ressemble à une station balnéaire ; c'est le point de départ des excursions vers les plages bordées de cocotiers. Comme Ambatoloaka avec son village de pêcheurs aux pirogues à balancier. Ou Ambatozavavy que dominent des collines plantées d'ilang-ilang. La variété des fonds marins a justifié l'installation d'une station de recherches océanographiques.

Enfin, à moins d'une demi-heure d'Hell-Ville, l'îlot aux eaux claires de Nosy-Komba est un paradis de pêcheurs sous-marins.

Le succès touristique de Nossi-Bé prouve quelles ressources Madagascar pourra tirer de la diversité de ses régions, de ses îles, de ses cascades somptueuses, de ses grottes, de ses coutumes, de ses légendes, quand elle s'y décidera dans un coin du monde qui reste à découvrir ■   Pierre MACAIGNE

▲
Dans un village rural des Hautes Terres, non loin de la capitale, une danse folklorique dont les costumes rappellent l'époque coloniale.
Phot. J.-A. Stevens

▶
À Nossi-Bé comme sur tout le littoral, les voiliers sont encore couramment utilisés pour le transport des marchandises.
Phot. Serraillier-Rapho